Tous Continents

De la même auteure

Romans

SÉRIE COUP SUR COUP
Coup sur coup, Tome 2 – Coup d'envoi,
    Éditions Québec Amérique, coll. Tous Continents, 2014.

Coup sur coup, Tome 1 – Coup de foudre,
    Éditions Québec Amérique, coll. Tous Continents, 2014.

SÉRIE POUR LES SANS-VOIX
Pour les sans-voix, Volet 3 – Une place au soleil,
    Éditions Québec Amérique, coll. Tous Continents, 2013.
Pour les sans-voix, Volet 2 – Paysages éclatés,
    Éditions Québec Amérique, coll. Tous Continents, 2012.
Pour les sans-voix, Volet 1 – La Jeunesse en feu,
    Éditions Québec Amérique, coll. Tous Continents, 2011.

SÉRIE AU BOUT DE L'EXIL
Au bout de l'exil, Tome 3 – L'Insoutenable vérité,
    Éditions Québec Amérique, coll. Tous Continents, 2010.
Au bout de l'exil, Tome 2 – Les Méandres du destin,
    Éditions Québec Amérique, coll. Tous Continents, 2010.
Au bout de l'exil, Tome 1 – La Grande Illusion,
    Éditions Québec Amérique, coll. Tous Continents, 2009.

Mon cri pour toi, Éditions Québec Amérique, coll. Tous Continents, 2008.

SÉRIE D'UN SILENCE À L'AUTRE
D'un silence à l'autre, Tome III – Les promesses de l'aube, Éditions JCL, 2007.
D'un silence à l'autre, Tome II – La lumière des mots, Éditions JCL, 2007.
D'un silence à l'autre, Tome I – Le temps des orages, Éditions JCL, 2006.

Jardins interdits, Éditions JCL, 2005.

Les Lendemains de novembre, Éditions JCL, 2004.

Plume et pinceaux, Éditions JCL, 2002.

Clé de cœur, Éditions JCL, 2000.

Contes
Contes de Noël pour les petits et les grands, Éditions Québec Amérique, album, 2012.

Récit
Mon grand, Éditions JCL, 2003.

Coup de maître

Coup sur coup – Tome 3

Projet dirigé par Marie-Noëlle Gagnon, éditrice

Conception graphique : Julie Villemaire
Mise en page : André Vallée – Atelier typo Jane
Révision linguistique : Line Nadeau et Chantale Landry
Photographie en couverture : Photomontage réalisé à partir d'une
    photographie de © Alberto Loyo/123RF.com

Québec Amérique
329, rue de la Commune Ouest, 3ᵉ étage
Montréal (Québec) Canada H2Y 2E1
Téléphone : 514 499-3000, télécopieur : 514 499-3010

Nous reconnaissons l'aide financière du gouvernement du Canada par
l'entremise du Fonds du livre du Canada pour nos activités d'édition.

Nous remercions le Conseil des arts du Canada de son soutien. L'an
dernier, le Conseil a investi 157 millions de dollars pour mettre de l'art
dans la vie des Canadiennes et des Canadiens de tout le pays.

Nous tenons également à remercier la SODEC pour son appui financier.
Gouvernement du Québec – Programme de crédit d'impôt pour l'édition
de livres – Gestion SODEC.

 Conseil des Arts
du Canada
Canada Council
for the Arts

 SODEC
Québec

**Catalogage avant publication de Bibliothèque et Archives nationales
du Québec et Bibliothèque et Archives Canada**

Duff, Micheline
Coup sur coup : roman
(Tous continents)
Sommaire : t. 3. Coup de maître.
ISBN 978-2-7644-2827-6 (Version imprimée)
ISBN 978-2-7644-2828-3 (PDF)
ISBN 978-2-7644-2829-0 (ePub)
I. Duff, Micheline. Coup de maître. II. Titre. III. Titre : Coup de maître.
IV. Collection : Tous continents.
PS8557.U283C68 2014   C843'.6   C2013-942097-5
PS9557.U283C68 2014

Dépôt légal : 1ᵉʳ trimestre 2015
Bibliothèque nationale du Québec
Bibliothèque nationale du Canada

Imprimé au Québec

Micheline Duff

Coup
de maître

Coup sur coup – Tome 3

Roman

QuébecAmérique

MOT DE L'AUTEURE

Comme les deux premiers tomes, *Coup de maître* est rempli de musique. Pour entendre les pièces évoquées dans le texte au fur et à mesure de votre lecture, vous n'avez qu'à consulter la page Internet créée par Québec Amérique.

www.quebec-amerique.com/coupsurcoup

20. *Gymnopédie nº 1* d'Erik Satie (p. 15)
21. *Album pour la jeunesse* de Robert Schumann (p. 71)
22. *Toccate et fugue en ré mineur, BWV 565* de Jean-Sébastien Bach (p. 117)
23. *Concerto pour piano nº 69* de Ferdinand Hiller (p. 158)
24. Musique du film *Zorba the Greek*, par Mikis Theodorakis (p. 163)
25. *Pavane pour piano et flûte* de Gabriel Fauré (p. 186)
26. *Sonate pour piano et flûte, op. 167* de Carl Reinecke (p. 239)
27. *Sérénade* de Franz Schubert (p. 280)
28. *Faded Flowers, Variations pour flûte et piano en mi mineur* de Franz Schubert (p. 280)
29. *Sonate pour flûte et piano en Si bémol Majeur, 4ᵉ mouvement*, de Ludwig van Beethoven (p. 280)

Les personnages et les situations de ce roman étant purement fictifs, toute ressemblance avec des personnes ou des situations existantes ne saurait être que fortuite.

Je vous souhaite bonne lecture et bonne écoute !

Les barrages les plus insurmontables que l'on rencontre sur sa route sont ceux que l'on a construits soi-même.

Douglas Kennedy,
Les Charmes discrets de la vie conjugale

À tous les écrivains et musiciens du monde.

RÉSUMÉ DU TOME 2
COUP D'ENVOI

Marjolaine Danserot et Ivan Solveye s'installent pour un an dans un logement du Carré Saint-Louis, qu'ils surnomment le Château des Sons et des Mots. Ils y vivent des jours heureux, lui comme pianiste en résidence à l'Université McGill, elle, plongée dans l'écriture d'un captivant nouveau roman inspiré par la rencontre d'un mendiant du quartier. Cependant, la découverte de l'existence, en France, de la petite Samiha, fille d'Ivan et orpheline de mère, viendra perturber la quiétude du couple. D'un commun accord, ils décident de l'adopter et de l'emmener au Canada, mais un coup bas les attend : la fillette souffre d'une maladie rénale grave. En bon père, et avec l'assentiment de Marjolaine, Ivan lui sauvera la vie en lui offrant l'un de ses reins pour une greffe.

Entre-temps, Marjolaine devient la grand-mère de Justine, l'enfant de François et de Caroline. Quant à Rémi, il vit difficilement son incarcération, mais finira par s'aguerrir et obtenir une liberté conditionnelle avec l'aide du nouvel ami de Marjolaine, Jean-Claude Normandeau, un homme aux jambes coupées et au passé tortueux, à la fois mendiant et professeur de français dans un centre pour jeunes en difficulté.

Le roman se termine dans la joie par la remise sur pied de Samiha et un retour dans la maison familiale de la rue Durham, grâce au divorce de Marjolaine et au nouvel emploi permanent d'Ivan obtenu à l'Université de Montréal. Avec l'aide de Rémi, devenu étudiant en travail social, toute la famille participera à l'organisation d'un concert-bénéfice qui remportera un vif succès. L'euphorie atteindra son comble quand Marjolaine découvrira une idylle amoureuse dans la vie de son ami Jean-Claude.

CHAPITRE 1

Dès son entrée dans le bar, Ivan se faufila rapidement parmi les invités et s'empressa de s'asseoir sur le banc du vieux piano disposé contre le mur du fond. À sa manière, il évitait non seulement les regards curieux sur le « célèbre musicien », conjoint de l'auteure mise à l'honneur ce soir-là, mais il se dispensait aussi du « petit doigt en l'air » sur le verre de vin, des conversations superficielles, des salutations obligées et de tous les insignifiants bla-bla inhérents aux rencontres mondaines qui lui faisaient horreur. De toute façon, les *Gymnopédies*♪ d'Erik Satie qu'il entreprit aussitôt de jouer en sourdine ne tardèrent pas à remplir les lieux d'une ambiance feutrée et conviviale. Le cinq à sept consacré au lancement avait été organisé par la maison d'édition du dernier roman de Marjolaine Danserot, *Le Miracle*, inspiré discrètement et avec son consentement de la vie bien particulière de l'ami de l'auteure : Jean-Claude Normandeau.

Le directeur de la maison d'édition, après les salutations d'usage, pria la romancière de se présenter au micro afin de lire un court

---

♪ Pour entendre ce morceau, visitez le www.quebec-amerique.com/coupsurcoup et sélectionnez l'extrait musical n° 20 : *Gymnopédie n° 1* d'Erik Satie.

extrait de son œuvre. Maquillée, coiffée, manucurée, vêtue d'un ensemble beige soulignant sa taille mince et élégante, Marjolaine se leva et, émue, récita un passage particulièrement touchant du début, où un prêtre, aumônier dans un centre pour délinquants, joue consciencieusement le rôle de père adoptif auprès d'un jeune voyou et lui adresse une lettre tout à fait attendrissante.

Tu es l'enfant biologique d'un autre, je le sais bien, mais tu n'en restes pas moins mon fils spirituel. Crois-moi, je te tiendrai la main et te mènerai sur les sentiers ensoleillés de l'existence tant et aussi longtemps que tu le voudras, toi, mon petit garçon perdu. Et je prierai pour que ce coup d'envoi vers le bonheur se renouvelle chaque jour.

Puis vint la séance de signatures. L'auteure ne cessa d'apposer allègrement sa griffe sur la première page de chacun des exemplaires, à la demande de la plupart des personnes dans l'assistance. Moment de délectation, moment de grâce où, le regard épanoui, Marjolaine avait l'impression de livrer le meilleur d'elle-même en tendant son roman à chacun et chacune de ces dévoreurs de livres qu'elle considérait étrangement et personnellement comme des amis.

Ses fidèles lecteurs étaient venus nombreux. Parmi eux, se trouvaient plusieurs membres éloignés de sa famille et de celle de son ex-mari, en plus de quelques amis et de certains confrères de travail d'Ivan à l'Université de Montréal. Des employés du centre Les Papillons de la Liberté s'amenèrent également, accompagnés de quelques jeunes garçons et filles, admirateurs de la bénévole qui venait jouer aux cartes de temps en temps avec eux, leur chère « ma'ame Marjo ». Pour ces jeunes, on avait exceptionnellement levé l'interdiction de quitter l'établissement. Certains d'entre eux, tout fiers de leur mission, apportaient un montant d'argent pour acheter un exemplaire qu'ils faisaient dédicacer, non pas à leur nom personnel, mais à celui des élèves de chacune des classes.

Bien sûr, Jean-Claude ne tarda pas à apparaître devant Marjolaine, le visage resplendissant de contentement. Tous ces gens allaient bientôt connaître son histoire, sans se douter que le héros du livre se trouvait présentement incognito parmi eux. La directrice du centre, Monique Dusablier, l'accompagnait. L'écrivaine les avait aperçus de loin dès leur arrivée dans l'établissement. Mine de rien, entre deux signatures et à travers la file d'attente qui s'allongeait, elle leur avait lancé sous cape des regards inquisiteurs, se rappelant bien les avoir vus se bécoter dans les coulisses de l'auditorium, lors du concert-bénéfice *Des Sons et des Mots / Des Dons pour des Maux*, plusieurs mois auparavant.

Quand ils s'approchèrent d'elle, Marjolaine leur adressa son plus beau sourire. Malgré sa position inconfortable, coincé au fond de son fauteuil roulant, l'homme dont des prothèses remplaçaient les jambes ne put s'empêcher de se soulever lourdement sur ses coudes afin de déposer un baiser sur la joue de sa grande amie auteure. Puis, il s'adressa à elle à voix basse alors que sa compagne, tout oreilles, demeurait résolument silencieuse.

— Marjolaine, je te dois un million de mercis pour avoir immortalisé par l'écriture mon dur et long cheminement.

— Immortalisé me semble un mot très fort…

— Les écrits restent, ne l'oublie pas!

— C'est à moi de te dire merci, mon cher. N'eussent été ton histoire tellement impressionnante, ton courage, ta hardiesse, tout ce que tu représentes à mes yeux, j'ignore où en serait ma carrière aujourd'hui. Sans le savoir, à un moment où je manquais réellement de souffle, tu m'as redonné la piqûre de l'écriture, ce besoin auquel tous les véritables écrivains n'arrivent pas à résister très longtemps.

— Alors, je persiste à parler d'immortalité, car je te considère comme une écrivaine jusqu'au fond de l'âme. Et ce livre-là ira loin, j'en ai la conviction profonde. Si les événements de ma vie peuvent servir de guide ou, à tout le moins, d'exemple à quelqu'un d'autre, de quelque façon que ce soit, j'en serai le plus heureux des hommes. D'ailleurs, il est magnifique, ce livre. Déjà, la page couverture en dit long sur le contenu.

Marjolaine poussa un soupir de satisfaction. Elle avait elle-même insisté pour imposer à l'éditeur son propre choix de la jaquette du roman. En premier plan, ces barreaux agrippés par deux mains ne plaisaient guère au service de marketing de la maison d'édition. À l'arrière-plan, on pouvait apercevoir un jeune homme, appuyé sur ses béquilles, s'éloignant vers le soleil levant, en guise de symbole de liberté et de bonheur. Elle avait néanmoins eu gain de cause en faisant valoir la promesse de salut évoquée par l'image.

— Je te souhaite autant d'inspiration pour ton prochain chef-d'œuvre, Marjolaine.

— T'en fais pas, mon ami, j'ai déjà amorcé l'écriture du roman suivant, et il me remue sans bon sens, lui aussi. Alors, je le dédicace à quel nom, ce fameux *Miracle* ? À vous deux, Monique et Jean-Claude, je suppose ?

— Non. Inscris plutôt : « À monsieur et madame Normandeau ».

— Quoi ? Ai-je bien entendu ? Veux-tu dire, Jean-Claude, que toi et Monique allez… euh… allez-vous…

La directrice du centre jeunesse ne put s'empêcher de répondre, un éclat de lumière brillant comme un feu ardent au coin de l'œil.

— Tu as tout compris, ma chère Marjolaine. Jean-Claude et moi allons nous marier très bientôt. Tu es la première à l'apprendre et, bien sûr, notre première invitation va à Ivan et à toi.

La première à l'apprendre, mais certainement pas la seule! Marjolaine avait à peine bondi de son siège pour manifester sa joie que le pianiste se levait d'un trait derrière elle et quittait brusquement son instrument pour venir, à l'instar de l'auteure, embrasser la fiancée et tendre une ferme poignée de main au futur époux.

— Ah! ça alors, mon vieux, tu parles d'une excellente nouvelle! Félicitations, madame Monique, vous tombez sur le meilleur homme de la terre! Après moi, bien évidemment!

Monique, dans la fleur de l'âge et aux allures de femme de tête, souriait de toutes ses dents. Quant à Jean-Claude, il éclata d'un grand rire contagieux et redressa la tête en affichant un air princier.

— Tu as raison, Ivan. Toi et moi comptons parmi les meilleurs représentants de la gent masculine. Cependant, Monique ne devra pas s'attendre à épouser le champion des pousseurs de tondeuse à gazon et pelleteurs de neige du perron, prothèses ambulatoires obligent. Pour le ménage et les courses, ma tendre épouse devra se débrouiller. Par contre, je m'estime un excellent spécialiste en dégustation de bouffe et un rédacteur efficace de listes d'épicerie, ha! ha! Quant à mes talents de remonteur de moral, mon épouse pourra en profiter, si jamais elle en a besoin, ce qui me surprendrait ÉNORMÉMENT. Après tout, vivre avec un héros devrait suffire à combler une femme, n'est-ce pas, mon amour?

— À bien y penser, renchérit Marjolaine en riant, je pourrais en dire autant de mon homme, et le scélérat ne peut présenter une excuse comme la tienne pour ses maladresses culinaires et ses paresses ménagères.

Ivan ne tarda pas à réagir.

— Oui, mais moi, je remplis la maison de musique !

— Et moi, s'empressa d'ajouter Jean-Claude, comme critique littéraire, sélectionneur de films et opérateur de toutes sortes de manettes, je peux rendre d'utiles services aussi, surtout quand on connaît l'habileté de ma blonde avec les bébelles électroniques !

Tous éclatèrent de rire, ce qui attira l'attention des autres invités. Marjolaine offrit ses souhaits aux futurs époux en haussant la voix afin que toute l'assemblée puisse l'entendre.

— Bravo, Monique et Jean-Claude, la nouvelle de votre mariage nous réjouit vraiment. Nos meilleurs vœux de bonheur à vous deux. Et que ça dure pour l'éternité !

Ivan en profita pour retourner à son piano et attaquer à tue-tête la *Marche nuptiale*, ce qui ne manqua pas de réchauffer l'atmosphère et de déclencher des applaudissements chaleureux en l'honneur des futurs époux.

Suivirent François et sa femme. Ils s'avancèrent devant l'écrivaine avec leur bébé Justine et la jeune Samiha dont ils assumaient la garde, ce jour-là. Sur l'initiative surprise de Caroline, on installa alors les fillettes vêtues de robes roses identiques mais de tailles différentes, la benjamine, sucette au bec, juchée sur la table au milieu des livres et l'autre, un signet dans les mains, assise sur les genoux de Marjolaine. Les flashes des caméras ne tardèrent pas à crépiter, et des cris d'admiration fusèrent de partout.

— Quel charmant tableau !

— Quelle femme bien entourée que cette Marjolaine Danserot !

Mais c'est à l'approche de Rémi que les larmes embrouillèrent le regard de l'auteure. À vrai dire, pour la première fois depuis le début de sa remise en liberté conditionnelle, la mère n'avait pas vu son fils durant deux jours, car il n'avait pas respecté la consigne de rentrer chaque soir à heure fixe. En cette grande soirée de lancement de son roman, Marjolaine frémit en le voyant enfin se pointer au milieu du petit bar et s'ajouter, l'air penaud et sans souffler mot, à la file d'attente pour une dédicace. Quand vint son tour de se planter, immobile et impassible, devant sa mère, il se contenta de lui présenter silencieusement le livre ouvert à la première page. Il savait bien que le roman racontait, de façon anonyme et déguisée, l'histoire de Jean-Claude Normandeau à partir de ses premiers méfaits jusqu'à sa réhabilitation, puis son long parcours sur le droit chemin, ainsi que son aide apportée à un certain jeune homme à problèmes, en l'occurrence lui-même.

Marjolaine se demandait ce que Rémi attendait d'elle au juste en lui désignant la première page du bout de son index. Une simple signature de l'auteure ? La formulation d'un espoir pour son avenir ? Un conseil auquel se référer ? Les mots magiques à lire et à relire pour le maintenir dans le droit chemin ? Après tout, le roman ne s'intitulait-il pas *Le Miracle* ? En quelques lignes et devant des dizaines de personnes, qu'allait-elle inscrire au-dessus du traditionnel *Bonne lecture!* rédigé par la plupart des auteurs du monde entier dédicaçant leurs livres ? Rémi l'avait pourtant lu d'un bout à l'autre sous forme de manuscrit, ce fameux bouquin. Il l'avait même partiellement vécu. Allait-il se le taper encore une fois ?

Elle braqua ses yeux dans ceux du garçon, des yeux pénétrants et humides, et elle le trouva beau, ce fils qui lui en faisait voir de toutes les couleurs. Ces traits doux et réguliers, ce regard intelligent mais coquin, cette fossette sur son menton qui tremblait… Le vrai portrait de son père, comme son frère d'ailleurs ! Ouais… Certes,

Alain s'avérait un beau don Juan à l'époque, et même à présent, elle ne pouvait le nier. Beau physiquement. L'espace d'une seconde, sa pensée se tourna vers Ivan, toujours actif sur le piano. Il lui paraissait tout aussi adorable physiquement, mais sa beauté intérieure dépassait tout et l'élevait au niveau d'un ange, tandis que l'apparence simplement corporelle d'Alain Legendre le gardait bien à terre. Oh! que oui! Quant à Rémi, elle déplorait que des nuages de tristesse assombrissent sa beauté, certains jours.

Avec des trémolos dans la voix, elle s'adressa à lui :

— Ce que je vais t'écrire, Rémi, devrait représenter la chose la plus importante au monde pour toi. Primordiale et essentielle. Plus vraie que vraie, ne l'oublie jamais.

D'une main ferme, elle inscrivit simplement :

Je t'aimerai toujours.
Ta mère.

Elle referma le bouquin et le lui remit d'une main frémissante en l'implorant à voix basse de ne plus s'éloigner de la maison, comme la nuit dernière.

— Ce soir, tu restes avec nous, hein, mon grand? Nous irons probablement souper au bistro d'en face. Pas question de te dérober à mon invitation. S'il te plaît, pas aujourd'hui.

Le garçon acquiesça d'un simple geste de la main et s'isola dans un coin pour prendre connaissance de la dédicace. Sa mère l'ayant suivi des yeux le vit soupirer en baissant la tête, jusqu'à ce que d'autres lecteurs sollicitent son attention. En bout de file, le dernier couple à se présenter devant elle la fit sursauter.

— Alain! Tu es venu? Ça me fait bien plaisir, tu sais! Euh… Bonjour, madame…

— Voyons, Marjo, on ne pouvait pas manquer ton lancement ! Tiens, ma chère, peux-tu nous dédicacer ce livre, s'il te plaît, même si je l'ai déjà lu sous forme de manuscrit ?

— Tu l'as aimé ?

— Évidemment ! Tu exagères les situations, mais je sais qu'à la base, tu t'es inspirée de faits réels.

En inscrivant le nom des deux destinataires, Marjolaine faillit formuler : *À Alain, mon ex-mari et à Ghislaine, celle qui m'en a débarrassée* ou encore : *À Alain, mon ex et à Ghislaine, celle qui me l'a volé hypocritement pendant un an*, mais elle se contenta d'écrire :

> *À Alain et Ghislaine.*
> *Bonne lecture !*

Suivaient simplement sa signature et la date. Tant pis, ces deux-là pouvaient aller au diable, elle s'en fichait éperdument, surtout quand, une fois libérée de la séance de signatures, elle surprit quelques minutes plus tard, en se rendant à la salle de toilette, la réponse d'Alain à Jean-Claude, qui le remerciait encore pour sa générosité lors du concert-bénéfice *Des Dons pour des Maux*.

— Ce n'est pas parce que mon entreprise a offert une grosse somme d'argent au centre Les Papillons de je ne me souviens plus trop quoi, où vous enseignez, que cela vous confère des droits de père sur mon fils, monsieur Normandeau. L'autre jour, Rémi a refusé une sortie avec Ghislaine et moi à cause d'un rendez-vous avec vous. Comme j'allais m'absenter durant quelques semaines et ne pouvais remettre cette rencontre avec lui, je ne l'ai pas bien pris, sachez-le.

— Désolé, monsieur Legendre, il ne m'a jamais mis au courant de ce fait, et je n'y suis strictement pour rien.

Ce soir-là, de retour rue Durham après un copieux souper au restaurant en compagnie de Rémi, Samiha, Jean-Claude et Monique, Ivan prit Marjolaine dans ses bras et la serra doucement contre lui, une fois la petite endormie et Rémi disparu dans l'escalier menant à sa chambre au sous-sol.

— Enfin seuls ! Je suis fier de toi, mon amour. Quel moment enchanteur que ce lancement !

— J'éprouve le même sentiment à ton sujet quand je t'écoute jouer en concert sur une scène, Ivan.

— *Le Miracle* va faire fureur, j'en gagerais ma chemise. Il va accomplir de véritables miracles, hé ! hé !

Au grand étonnement de l'auteure, l'homme sortit un exemplaire du roman de son sac de partitions musicales et l'ouvrit à la première page.

— Pourrais-tu le dédicacer : « À mon petit mari chéri », s'il te plaît ?

Marjolaine mit un certain temps à réaliser la signification de ces simples mots, mais à voir le sourire espiègle de son amoureux, elle explosa.

— Ivan ! Ai-je bien compris ?

— Mais oui, ma petite femme, tu as tout à fait compris. Après tout, notre union semble établie pour durer. Si tu deviens millionnaire grâce à ce livre, je veux en profiter officiellement, moi, ha ! ha ! Sérieusement, Marjolaine, j'y songe depuis longtemps. Tu es vraiment la femme de ma vie et je veux t'aimer jusqu'à la fin de mes jours. Et puis, n'avons-nous pas une famille sur les bras, maintenant ? Le temps est venu de légaliser notre union, qu'en pensez-vous, madame Solveye ?

CHAPITRE 2

L'homme vêtu d'un sarrau blanc entrouvert sur une cravate impeccable se retourna enfin vers Marjolaine, suspendue à ses lèvres. Affichant un air impassible après avoir longuement examiné les formulaires qu'il tenait en main, il déclara :

— Tout se passe bien, madame. Pour l'instant, vous n'avez aucune raison de vous inquiéter. Le bilan de santé reste satisfaisant et l'enfant continue de se développer normalement. Quant au danger de rejet, il s'atténue avec le temps.

— « Pour l'instant », avez-vous dit… Le risque d'un retour de la maladie persiste toujours, n'est-ce pas ?

— Soyons francs : malgré les avancées de la médecine, une récidive de la néphropathie peut toujours se présenter, mais cela se produit plutôt rarement. Il ne faut pas oublier non plus que le phénomène de rejet du greffon reste assez menaçant au cours de la première année après l'opération. Croyez-moi, on ne vous demande pas pour rien d'emmener Samiha à la clinique aussi fréquemment et régulièrement. Mais ne dramatisons pas et restons positifs. Nous gardons l'enfant sous étroite surveillance, le temps passe, et il ne manque que quelques mois pour boucler la période d'une année. Au risque de me répéter, je vous confirme que tout va rondement… pour l'instant!

Trépignant sur le fauteuil aux côtés de Marjolaine, Samiha ne cessait de promener sa poupée de tissu sur le rebord du bureau du médecin. S'étant familiarisée avec les ennuyeuses visites à la clinique depuis sa plus tendre enfance et habituée à se laisser examiner, tripoter, retourner, piquer et parfois même « torturer » par de purs inconnus, elle faisait peu de cas de son bilan de santé, n'y comprenant évidemment rien. À n'en pas douter, le « monsieur savant » en train de discuter avec sa mère l'ennuyait royalement.

Elle ne put donc pas saisir la détresse de sa mère adoptive lorsque le médecin lui rappela que la durée de vie d'un rein greffé s'avérait de l'ordre de dix à douze ans. Ainsi, Marjolaine devrait envisager la nécessité d'une nouvelle transplantation lorsque Samiha aurait dépassé quinze ans. À moins d'une exception ou d'une découverte scientifique majeure, elle devrait probablement recevoir un autre rein une seconde fois au cours de sa vie d'adulte, peut-être même une troisième. Quant à la suite, elle demeurait nébuleuse. Marjolaine le savait déjà, bien sûr, mais de se le faire rappeler la glaçait d'effroi.

L'homme, sans doute désensibilisé à la panique des parents à force de s'y confronter quotidiennement à de multiples reprises, poursuivit sur le même ton, sans remarquer les frissonnements de la mère.

— Si l'enfant prend fidèlement ses médicaments, s'alimente bien, se protège contre le soleil et ne manque pas ses rendez-vous à l'hôpital pour une surveillance étroite, vous mettez toutes les chances de son côté, madame. Il faut surtout éviter les complications dues aux infections bactériennes et virales, qui peuvent survenir plus facilement à cause du traitement immunosuppresseur, inhibiteur de son système de défense, et que votre fille devra recevoir durant toute sa vie. Alors, à la moindre alerte, signe de fièvre, de faiblesse ou de douleur, il importe de la ramener ici d'urgence. Voilà, madame, la bonne façon de faire, si vous voulez voir Samiha devenir une belle grande fille et, plus tard, une femme pleinement épanouie. D'ailleurs, puisqu'elle aura bientôt atteint ses cinq ans et, si tout continue de bien aller, peut-être pourra-t-elle prendre le chemin de la maternelle, l'an prochain, qui sait?

« Oui, docteur. Je le sais, docteur. Je le veux, docteur. » Marjolaine connaissait par cœur toutes les données et tous les conseils. Elle se les répétait *ad nauseam* à longueur de semaine, quand elle préparait les repas, quand elle donnait le bain à la fillette, quand elle allait la border et l'embrasser sur le front, le soir, ne pouvant s'empêcher d'évaluer sa température et la régularité de sa respiration.

Ivan, lui, se montrait plus confiant et optimiste. Pourquoi s'en faire avant que ne surviennent les problèmes? Même pour sa propre récupération, il ne semblait pas s'inquiéter. Une recherche suédoise, effectuée sur un nombre insuffisant de cas, malheureusement, ne stipulait-elle pas que les donneurs de rein disposaient d'une espérance de vie égale, sinon meilleure à celle de la population en général, sans doute grâce à leur santé solide et à toute épreuve? Et cela le faisait rire.

— Avec mon rein unique, tu ne réussiras pas à te débarrasser de moi avant longtemps, Marjolaine, mais ne t'en fais pas, je prendrai soin de toi, ma chère petite vieille, et de ma Samiha devenue une jolie demoiselle!

Incontestablement, depuis quelque temps, n'eussent été les derniers écarts de conduite de Rémi, le bonheur aurait coulé à flots dans la maison de la rue Durham. Le pianiste adorait son nouvel emploi à l'Université de Montréal, tout en continuant d'accepter des invitations à se produire ici et là dans le monde, Samiha ne cessait d'accumuler de nouveaux progrès, tant physiques qu'intellectuels, la petite Justine grandissait en grâce et en santé, et la maison d'affaires de ses parents semblait avoir le vent dans les voiles. Quant à l'écrivaine, elle s'était passionnément lancée sur la trame d'un roman exigeant d'intéressantes recherches qu'elle pouvait effectuer à domicile sur son ordinateur, tout en prenant soin de Samiha. Quoi exiger de plus du destin?

En sortant de l'ascenseur menant à l'entrée principale de l'hôpital, Marjolaine croisa une mère poussant un bambin de trois ou quatre ans, attaché dans un fauteuil roulant. Non seulement l'enfant semblait déchu physiquement, incapable de soutenir sa tête et de coordonner le mouvement de ses bras, mais il affichait aussi un regard vide et totalement dépourvu d'intelligence, la bouche grande ouverte et les yeux hagards, fixés au plafond. L'une de ses jambes follement agitée de spasmes retint l'attention de Marjolaine, et cela la fit frémir d'horreur.

«De quoi je me plains?», se demanda-t-elle. Elle ébaucha une caresse affectueuse sur la tête de Samiha qu'elle tenait par la main et, ensemble, elles s'acheminèrent gaiement vers le stationnement.

— Que dirais-tu, ma chérie, d'une crème glacée? Après tout, c'est le printemps aujourd'hui, il faut fêter ça!

Le même soir, une fois Samiha au lit, Marjolaine termina la description du compte rendu du médecin en avalant une première lampée de vin, les yeux rivés sur ceux d'Ivan. Si elle avait «fêté ça» par de la crème glacée au chocolat dégustée avec sa fille au cours de l'après-midi, en ce début de soirée, en compagnie de l'homme de sa vie dans la salle à manger inondée par la lumière du couchant, elle avait envie de s'offrir une détente parfaite, nourrie de soulagement et d'espoir. D'amour surtout. Comme elle adorait cet homme assis devant elle, si attentif et généreux! Si beau aussi, et attachant, et sensible, et compréhensif, et…

Dire qu'elle avait failli renoncer à renouer avec lui, il y avait maintenant près de trois ans, à la suite de leur première et si courte semaine de tendresse passionnée en Europe. Trop compliqué, trop de distance entre eux prétendument impossible à franchir, trop de contraintes familiales du côté de Marjolaine, trop de tourments au sujet de Rémi. Cependant, dans chacune de ses lettres, le Croate d'origine mais naturalisé Français avait persévéré à lui parler tendrement et à insister pour la revoir. Jamais il n'avait cessé de l'attendre et, dans les moments les plus difficiles comme lors de la condamnation de Rémi, par exemple, il n'avait pas hésité à traverser l'Atlantique pour venir la soutenir et l'encourager.

Si, maintenant, Marjolaine vivait un tel bonheur, c'était grâce à Ivan. Évidemment, le doute inhérent aux derniers jours concernant Rémi ne manquait pas d'assombrir quelque peu l'atmosphère, mais en général le garçon semblait tout de même engagé sur la bonne voie. Quant à Samiha, Marjolaine avait accepté de l'adopter en dépit de ses problèmes de santé, et cela l'avait menée sur des sentiers fort difficiles. Cependant, au bout du compte, une fois rétablie, l'enfant lui apportait bien davantage de joies que d'inquiétudes et elle était devenue la plus belle chose au monde à partager avec son cher Ivan.

Ivan, en ce premier soir du printemps, assis confortablement en face de la femme qu'il aimait et constatant son apaisement et son retour au calme au sujet de leur fille, s'empara de la main de sa bien-aimée en lui souriant tendrement.

— À chaque jour suffit sa peine, mon amour. Concernant l'avenir, on fera face aux difficultés si jamais elles se présentent. «Pour l'instant», comme t'a dit le médecin, je lève mon verre à toi, ma chérie, à notre fille, à tes fils, à notre petite-fille, à tous les nôtres. Et, surtout, à notre belle vie heureuse.

Au moment même où Marjolaine s'apprêtait à déposer des bougies sur la table, une horde de bernaches traversèrent le ciel dans la lueur crépusculaire en cacardant, battant des ailes en direction du nord. Ivan s'approcha aussitôt de la fenêtre pour les admirer et invita Marjolaine à le rejoindre.

— Regarde, mon amour, en se regroupant, ces oies se dirigent vers la voûte céleste. Elles me font penser à nos papillons blancs. Tu te rappelles notre quête d'absolu ?

Si elle se le rappelait ? Elle ne l'avait jamais oubliée ! C'était d'ailleurs ce rapprochement de leurs âmes bien plus que de leurs corps qui l'avait remplie d'un tel amour pour le pianiste. Un amour irréversible, infini, éternel. Un amour absolu…

Serrés l'un contre l'autre, ils gardèrent un long moment de silence. Puis, Ivan se tourna vers elle et la prit dans ses bras.

— Dis donc, Samiha va nous faire une jolie bouquetière !

Il n'avait pas renoncé à son idée d'une union conjugale, mais il n'en avait plus reparlé depuis le lancement. De son côté, Marjolaine ne voyait pas là une véritable nécessité. Tout d'abord, ses croyances religieuses, pour ne pas dire ses doutes existentiels, ne l'obligeaient nullement à recevoir la bénédiction nuptiale pour apaiser sa conscience, geste d'engagement à vie auquel elle ne croyait plus guère.

Quant au mariage civil, l'idée de signer avec Ivan un contrat rationnel, basé sur différents calculs et prévisions logiques lui répugnait.

Dans son esprit, leur couple s'appuyait sur des assises tout aussi solides que celles garanties par un contrat rédigé en bonne et due forme. Leur relation consistait en un engagement d'amour renouvelé quotidiennement, et cela lui suffisait.

Elle ne sentait pas l'envie, non plus, d'organiser une fête traditionnelle avec alliances, bouquets de fleurs, champagne et nappes de dentelle. Les deux bras d'Ivan qui la pressaient contre lui chaque soir avec tant de chaleur répondaient amplement à ses besoins. Ne valait-il pas mieux envisager l'existence «pour l'instant», comme l'avait prêché le bon docteur de la clinique?

Toutefois, Ivan tenait un tout autre discours. Élevé dans la pratique rituelle du catholicisme en Croatie, il semblait incapable de renoncer complètement aux principes moraux et religieux qu'on lui avait inculqués jadis. Ne serait-ce que pour établir en lui une certaine sécurité et l'assurance que Marjolaine et lui formaient officiellement un couple durable pour la vie, il tenait à se marier. Et Marjolaine le comprenait et se devait de respecter ce désir naturel et légitime.

— On fera cela simplement, avec une jolie bouquetière comme tu le veux, Ivan, mais seulement entourés de nos proches.

— À votre guise, ma belle princesse! Cependant, je t'avertis : nous inviterons Jean-Sébastien Bach à l'orgue.

— À l'orgue? Malheureusement, je ne pourrai pas me marier à l'église catholique, moi, je suis divorcée, tu le sais bien!

— On trouvera un temple chez les protestants, s'il le faut, mais tu n'y échapperas pas, ma belle, tiens-le-toi pour dit!

Tout en transportant les couverts sur l'armoire de la cuisine, les amoureux commencèrent à se taquiner en riant à gorge déployée.

— Tu veux me mettre la corde au cou, hein, mon vlimeux?

— Pas seulement la corde, mais la chaîne, ma chère, et ce, jusqu'à la fin de tes jours, je peux te l'assurer. Tu as affaire à un fameux lascar, tu sauras. Plus dessalé que moi, tu meurs !

— Dessalé, hein ? Ah, mon snoreau ! Ça ne se passera pas comme ça ! Je deviendrai une vieille gribiche et t'en ferai voir de toutes les couleurs.

— Une vieille gribiche ?

— Oui, monsieur ! Ou une vieille toupie, si tu préfères ! De toute façon, même avant le mariage, tu vas déjà y goûter, car il faudra enterrer ta vie de garçon. Je vais confier cette responsabilité à Rémi, François et Jean-Claude, tiens ! Tu es resté à l'ancre trop longtemps, mon vieux ! Il va justement falloir te dessaler, comme tu dis si bien. Et ça viendra plus vite que tu le penses !

— Attends un peu que je t'attrape, ma louloutte !

Le repas que Marjolaine voulait romantique tourna en une bataille épique, nourrie de fous rires autour des casseroles, et se termina sur le canapé du salon. Une heure et demie plus tard, quand Rémi rentra de son cours du mercredi soir, il trouva sa mère enrobée à la sauvette d'une large serviette dénichée dans la salle de bain, tandis qu'Ivan dormait à poings fermés, son corps nu dissimulé sous une montagne de coussins. Devant le désordre de la pièce et, surtout, l'air coupable de Marjolaine, le jeune homme se contenta de la saluer rapidement sans faire de commentaire et dévala l'escalier au plus vite vers sa chambre.

Marjolaine se demanda sérieusement si son fils prenait sa mère pour une folle ou bien s'il se réjouissait de la voir vivre une aussi belle histoire d'amour.

CHAPITRE 3

Quelques semaines plus tôt, le matin même du lancement, Marjolaine avait dû mentir aux autorités du cégep quand on avait appelé à la maison pour s'informer de la raison de l'absence non motivée de Rémi, car cela constituait un bris dans l'observation stricte des consignes de sa libération conditionnelle. Elle avait dû affirmer haut et fort que son garçon avait gardé le lit, se sentant trop malade pour assister à ses cours, ce jour-là, et elle avait formellement promis de tenir la direction du collège au courant de l'évolution de la maladie durant les prochains jours. Quand on avait exigé un papier du médecin, elle avait poussé un soupir d'exaspération et assuré de s'en occuper immédiatement. Hélas, le temps lui avait manqué à cause des derniers préparatifs pour la cérémonie du lancement de son livre.

En dépit du sentiment de culpabilité l'accablant d'un poids insupportable, Marjolaine aurait pu jurer n'importe quoi et raconter n'importe quel mensonge pour garder son fils hors des murs de la prison. Ce fameux jour, elle s'était donc retrouvée dans l'obligation de remettre au lendemain ses recherches et investigations au sujet de son fils, et c'est avec l'esprit secrètement en détresse qu'elle avait préparé la fête de la sortie de son nouveau roman racontant la réhabilitation d'un jeune voyou, figure schématique de son chenapan de fils. Balivernes ! Rémi s'était fait un devoir de lui démontrer à quel point, contrairement à l'adage, la fiction pouvait facilement dépasser la réalité ! Défi aux ordres, manquement à des cours sans avertir, disparition dans la nature, et quoi d'autre encore ? Dieu merci, il était finalement apparu parmi les invités du lancement pour réclamer une dédicace sans donner d'explications et, dès le matin suivant, il était reparti, comme à l'accoutumée, vers le collège.

Depuis ce temps, il semblait avoir retrouvé, jusqu'à un certain point, son bon comportement. Il lui restait encore une année et demie à devoir se plier aux exigences sévères de sa libération conditionnelle obtenue l'automne précédent. Bien sûr, à la longue et selon sa conduite, les règles finiraient par s'assouplir. Malheureusement, Marjolaine avait le sentiment que son fils arrivait de moins en moins à les respecter, outrepassant parfois l'heure du couvre-feu et s'absentant de temps à autre du collège, lui qui, dès le début, avait pourtant semblé apprécier sans restriction chacun des cours du programme de techniques en travail social au Cégep du Vieux-Montréal.

Que se passait-il donc ? Elle avait beau le questionner, aucune réponse satisfaisante ne venait. Sauf lors des visites de l'agent de probation, le garçon se montrait de plus en plus renfermé, voire renfrogné. Dès son retour, en fin d'après-midi, il descendait directement dans sa chambre sans souffler mot. Quand Marjolaine insistait, il ne répondait que vaguement à ses interrogations. Certains soirs, il refusait de se présenter à table, et Marjolaine ou Ivan lui apportait une assiettée pour laquelle il ne se donnait pas la peine de dire merci. Seule la petite Samiha arrivait à le faire sourire momentanément.

À bien y songer, plus le temps passait, plus le jeune homme recommençait à ressembler au Rémi d'autrefois, celui qu'on avait condamné à quatre années d'incarcération à cause d'une attaque à main armée perpétrée dans un dépanneur pour une histoire de drogue. Non, non, il n'allait pas récidiver, quand même! Le cœur serré, sa mère refusait d'y croire.

Jean-Claude Normandeau l'avait pourtant aidé à se remettre d'aplomb, tout d'abord en devenant son ami et confident par correspondance, lorsque Rémi se trouvait derrière les barreaux. Petit à petit, Marjolaine avait vu son fils changer de mentalité et de comportement au point d'obtenir finalement une libération conditionnelle pour la dernière partie de sa sentence. Encore lui fallait-il observer sans faillir les nombreuses et rigoureuses contraintes imposées, et rencontrer, une fois par semaine, un agent de libération conditionnelle. Là seulement, comme le souhaitait Marjolaine, il s'accorderait avec la finale de l'œuvre romancée de sa mère, dans laquelle un jeune délinquant reprenait une conduite impeccable, appuyé par un handicapé lui prodiguant affection, soutien et conseils nécessaires.

Depuis la remise en liberté de Rémi, la promesse de salut des derniers chapitres du roman *Le Miracle* semblait bien amorcée dans sa réalité concrète, car Jean-Claude Normandeau avait réellement fait office de père adoptif auprès de lui. Alain, son véritable paternel, trop occupé par ses affaires et sans doute par les exigences d'une capricieuse maîtresse, le négligeait scandaleusement, malgré ses prétentions de père attentionné. Faux père attentionné, plus précisément, selon Marjolaine qui en était venue à détester son ex.

Comme dans le roman, Jean-Claude emmenait le garçon au hockey, et ensemble, ils allaient déjeuner ou croquer un hamburger au resto, ou encore ils visionnaient des films et écoutaient de la musique. De plus, avec ses compagnons de classe du cégep, le jeune homme s'était dévoué corps et âme pour l'organisation du concert-bénéfice *Des Sons et des Mots/Des Dons pour des Maux* offert par sa mère et son conjoint.

Alors? Que s'était-il donc passé pour que Rémi change radicalement d'attitude et sèche tout à coup des cours au cégep?

Un soir, Rémi se présenta à la maison avec plus d'une heure de retard, malgré l'heure fixée à l'avance pour son rendez-vous hebdomadaire avec Robert, son agent de libération conditionnelle. Habituellement, Marjolaine accueillait l'homme avec gentillesse, lui offrait un café ou une boisson gazeuse, puis disparaissait dans son bureau à l'étage. Bien entendu, elle ne pouvait s'empêcher de tendre l'oreille à la conversation tenue en bas, au salon, entre l'homme et son fils. En général, les échanges se résumaient à peu de choses, et Rémi se montrait plutôt fidèle à rentrer au bercail dès la fin des cours. À part afficher, tout content, sa conduite exemplaire, il n'avait pas grand-chose à raconter.

Cependant, comme elle soupçonnait le fameux Robert d'avoir été mis au courant des absences injustifiées de l'étudiant au collège, Marjolaine trouva rapidement une excuse pour se retirer et le laisser en plan dans le salon, plutôt que de devoir lui mentir pour sauver la face de son sacripant de fils. Tant pis! Elle n'en pouvait plus de mentir. Rémi devrait, cette fois, assumer ses bêtises.

Le jeune homme se manifesta enfin, blanc comme un drap et titubant, et se heurta avec un air surpris à l'agent de probation qui, à bout de patience, s'apprêtait justement à partir, dossier à la main.

— Robert! Je t'ai oublié!

— Où étais-tu? Cela fait presque une heure que je t'attends. Pas bien, ça! Tu connais les conséquences du non-respect des conditions de liberté surveillée, n'est-ce pas? Un retour immédiat en prison.

— Désolé, ta visite m'est partie de l'idée. Mais… j'ai rien fait de mal!

— Depuis quand tes cours finissent plus tard, le jeudi ?

— Non, non, c'est juste que…

Marjolaine ne résista pas longtemps à ses bonnes résolutions. Dévalant l'escalier à toutes jambes devant le garçon sur le point de s'effondrer, elle s'empressa de passer un bras autour de ses épaules pour l'entraîner vers un fauteuil.

— Viens, mon grand. Ça ne va pas bien, hein ? Ne me dis pas que tu te sens encore malade comme l'autre jour.

L'agent sourcilla d'un air surpris.

— Comment ça ? Tu as été malade ? Tu aurais pu m'avertir.

Marjolaine n'hésita pas une seconde avant de donner quelques explications à l'agent.

— Mais oui ! Mon fils a même dû manquer quelques cours au collège dernièrement. Vous ne l'avez pas su ? J'en ai pourtant avisé le collège…

Comme Rémi persistait à se taire, la mère se sentit obligée d'en rajouter.

— Vous savez, monsieur Robert, Rémi ne me semble pas en excellente forme et il travaille très fort au collège, ces temps-ci. Il…

— Pas certain qu'il s'agisse d'une question de santé, moi, madame.

L'homme se tourna alors vers Rémi avec un air suspicieux.

— Tu n'oublies pas la règle des quatre T, hein, jeune homme ? Sinon, tu sais ce qui t'attend.

Curieuse, Marjolaine ne put se retenir de réclamer des précisions sur les quatre T. L'agent répondit aussitôt, sur un ton mi-figue mi-raisin :

— C'est bien simple, madame. Transparence, Transparence, Tabarnak de Transparence.

En d'autres circonstances, elle aurait éclaté de rire, mais pas en ce moment. En ce moment, elle avait envie de crier, de hurler en secouant son fils qui n'en avait rien à foutre de la règle des quatre T. De toute évidence, il avait bu, ou fumé, ou aspiré une herbe quelconque. La mère n'était pas dupe, elle savait bien que cela ne pouvait indéniablement pas échapper à l'agent, habitué à ce genre de symptômes.

— Tu as compris, Rémi Legendre ? Les quatre T…

Le garçon s'enfonça encore plus profondément dans le fauteuil et refusa de réagir. N'y tenant plus, Marjolaine alla chercher une serviette imbibée d'eau glacée pour la déposer sur le front du grand malade. Robert la pria de se calmer et s'approcha à son tour.

— Écoute-moi bien, mon garçon. Tu as le choix : tu me dis la vérité ou on te passe les menottes. Je n'ai qu'à composer un numéro et, dans moins d'une heure, tu te retrouveras derrière les barreaux pour non-respect des conditions de liberté surveillée. Compte-toi chanceux que je te laisse ces deux options…

Rémi se mit à sangloter comme un enfant et fit un signe affirmatif de la tête. Oui, il allait vider son sac. Il le vida, en effet, en long et en large, racontant que le *pusher* à qui il devait, depuis des années, une énorme somme d'argent pour laquelle il avait commis son hold-up avant sa condamnation, l'avait retrouvé et réclamait sous la menace cinq mille dollars comme premier acompte.

— Quelle menace, Rémi, quelle menace ?

— Me battre à mort ou me couper une main, comme il l'a déjà fait à l'un de mes am… à un gars que je connais. Je sais plus quoi faire ni où me mettre, moi !

— Il faut absolument aller porter plainte à la police, Rémi. Et au plus sacrant.

— Je peux pas, Robert. À l'époque, j'ai vendu de la drogue, moi, pour ce gars-là. J'ai pas envie de réveiller mon passé devant un juge et me faire condamner de nouveau à la prison. On m'a jugé pour le vol à main armée, mais pas pour le reste. J'adore mes cours au cégep et je me sens bien chez ma mère. Je veux surtout reprendre le droit chemin pour de bon et que ça continue, tu comprends ? Mais si jamais ce type-là apprend que je l'ai dénoncé et que j'ai porté plainte à son sujet, il va me tuer pour de vrai, je te jure !

— Transparence, Rémi. Transparence, tabarnak !

— Je vais essayer de trouver ces cinq mille dollars. Les emprunter à une banque, peut-être, en prétendant qu'il s'agit d'une bourse d'études ou je sais pas trop. À bien y penser, ça ne serait pas vraiment un mensonge puisque je veux continuer à étudier. Le gars me fichera peut-être la paix pour un bout de temps si je lui remets une partie de son maudit argent. Une fois mon diplôme collégial obtenu et ma période de probation terminée, je pourrai disparaître de la circulation, loin de lui et de la gang. J'sais pas, moi, m'exiler à Vancouver, par exemple.

— Pas question ! Pas plus tard que demain, tu iras toi-même faire une déclaration à la police et raconter tout ce que tu viens de me confier, compris ? Et tu resteras bien tranquille par la suite. De mon côté, je t'appellerai demain soir pour t'entendre me faire le récit de tout ça. On avisera alors des procédures à suivre selon ce qu'on t'aura dit au poste.

— S'il te plaît, Robert, non ! Je t'en supplie, il va me tuer !

— Tu révèles la vérité à la police, TOUTE LA VÉRITÉ au sujet de ces menaces, tu m'entends ? Tu donnes les noms et les adresses du gars en question et de ses petits amis, du moins ceux qui te harcèlent.

— Moi, un délateur ? Non, non, jamais !

— Fais donc confiance à la justice, jeune homme ! Sais-tu combien de vies tu peux sauver en faisant arrêter ce gars-là ? Non seulement tu l'empêcheras de mettre ses menaces à exécution sur toi, mais probablement sur bien d'autres victimes.

— J'ai pas envie de sauver des vies en risquant la mienne, moi ! Oh ! que non ! Les autres, je m'en fiche pas mal, tu sauras !

— On va s'arranger pour te protéger. Sans compter que tu mettras en plus un frein aux activités de dopage de ta gang de voyous. Des vies en train de se briser comme tu as failli ruiner la tienne…

— C'est plus « ma » gang de voyous, justement ! Et ils savent où la trouver ailleurs, leur drogue, je m'inquiète pas pour ça. Non, je veux plus rien savoir de tout ce monde-là ! Il me reste rien qu'une chose à faire, je pense : disparaître de la circulation. Pis ça sera pas en prison ! Cette fois, je me manquerai pas. J'en ai assez de toutes ces chienneries-là, moi !

En entendant ces mots, Marjolaine se jeta sur son fils et commença à crier.

— Non, non, Rémi, je t'en supplie. Fais seulement ce que recommande Robert. Tout va bien aller. Fais-lui confiance.

— Je te rappelle plus tard, jeune homme.

Sans rien ajouter, l'agent se leva d'un bond, saisit son coupe-vent et se dirigea vers la porte comme s'il n'avait plus envie de faire la morale à cet entêté. Il sortit de la maison en claquant la porte, sans autre recommandation ni salutation, pas plus à Marjolaine qu'à Rémi, comme si tout avait été dit.

Le garçon se remit à geindre.

— J'ai peur, maman.

— Je te comprends, mon grand, mais ça ne peut pas toujours aller mal, voyons! Suis les directives de Robert, et on verra bien par la suite. Il sait ce qu'il fait et il possède l'expérience de ce genre de problèmes, lui! C'est son métier, après tout!

À vrai dire, Marjolaine, tout aussi terrorisée que son fils, ne trouvait pas de mots réconfortants. Comme elle regrettait l'absence d'Ivan, parti à Paris pour quelques jours afin de régler certains contrats et planifier l'enregistrement du nouveau cédérom qu'il remettait d'une saison à l'autre. Lui, il aurait sans doute lancé une idée rassurante, proposé une solution quelconque, à tout le moins posé une main protectrice sur l'épaule du fils et de sa mère.

— Dis donc, Rémi, si tu appelais Jean-Claude? Lui pourra t'aider et te conseiller. Pendant ce temps, je vais monter voir Samiha. Elle a dû se réveiller, je l'entends s'agiter dans sa chambre.

Dix minutes plus tard, Marjolaine retrouva un garçon plus calme et plus serein l'attendant tranquillement dans le salon.

— Jean-Claude viendra me chercher au cégep, demain après-midi, et il m'accompagnera lui-même au poste de police. Puis, il m'hébergera au centre Les Papillons de la Liberté, à l'abri du maudit rat, si jamais on ne le met pas immédiatement en état d'arrestation. Un chauffeur pourra même me transporter au cégep si jamais je constate quelque danger. Je serai en sécurité, là-bas, en attendant la suite des événements. Tiens, je vais appeler Robert immédiatement pour le mettre au courant. Je me sens soulagé, maman.

— Bonne idée !

Elle se garda bien d'affirmer que tant et aussi longtemps que le « rat » ne serait pas enfermé derrière les barreaux, elle-même ne se considérerait pas en sécurité. Elle-même, et Samiha, et Ivan… Elle choisit plutôt de tendre à Rémi le feuillet qu'elle avait rapporté de la chambre de la fillette et sur lequel le nom du garçon avait été maladroitement recopié par une main d'enfant, entouré de cœurs et de grands soleils de toutes les couleurs.

La sonnerie du téléphone vint interrompre ce moment d'émotion. Il s'agissait de Jean-Claude, voulant expressément s'adresser à Marjolaine, cette fois.

— J'ai appelé Robert. Il accepte que Rémi soit hébergé temporairement au centre. Et puis… je viens juste d'avoir une idée mirobolante dont je n'ai pas parlé à Robert ni à Rémi.

— Comment ça ?

— Pour l'instant, je ne t'en dis pas plus. On verra bien si ça va marcher. Mais tu peux dormir paisiblement, ma chère !

CHAPITRE 4

De sa fenêtre de cuisine, Marjolaine regardait Samiha se balancer allègrement avec la petite voisine dans l'arrière-cour de la maison où Ivan lui avait installé des balançoires. Cheveux au vent émanant du bonnet de laine, joues colorées autant par le plaisir que par l'air vif de ce printemps tout de même hâtif, souliers neufs pointés vers le ciel, elle turlutait une vieille chanson folklorique. « Sans doute un souvenir de France », pensa Marjolaine, car la fillette chantait *Sur la route de Louviers* selon la version française, et non *Sur la route de Berthier* comme s'obstinait à lui répéter sa copine.

Marjolaine se demandait à quel point Samiha restait attachée à sa grand-mère de Fontainebleau. Sans doute était-elle trop jeune pour se rappeler le drame qui, en plus de coûter la vie à son grand-père, l'avait arrachée de celle qui jouait un rôle maternel auprès d'elle depuis plusieurs mois. En effet, la maladie rénale n'avait pas tardé à faire ensuite son apparition dans la vie de l'enfant, exigeant la séparation d'avec son ancêtre, trop handicapée pour la soigner, et le déplacement de la fillette dans un foyer d'accueil, créant ainsi d'autres situations d'adaptation tout aussi pénibles. S'étaient alors succédé les interminables séances de dialyse, la longue hospitalisation, l'arrivée impromptue dans son existence de purs inconnus en les personnes d'Ivan et de Marjolaine, puis la greffe du rein de son paternel, suivie d'une période de convalescence à n'en plus finir. Et tout cela sans compter sa venue dans une nouvelle famille habitant un pays étranger où l'accent québécois ne ressemblait guère à celui de la France. Quel parcours, tout de même, en moins de cinq courtes années d'existence !

À vrai dire, Samiha possédait une incroyable capacité d'adaptation et, quand elle y songeait, Marjolaine sentait son cœur se gonfler d'admiration et de tendresse. De quelle adorable petite fille la vie lui avait fait cadeau ! En dépit des entraves à sa liberté que l'arrivée de l'enfant et les affres de sa maladie avaient constituées dans son quotidien, la mère adoptive n'avait jamais regretté de l'avoir accueillie si généreusement dans son univers. « Intelligente, conciliante et sans caprice, adorable et attachante comme son père », se disait-elle en pressant la fillette tout de même un peu chétive sur son cœur.

Quant à la grand-mère, Amal Shebel, habitant dans un centre pour personnes en perte d'autonomie de Fontainebleau, l'enfant ne l'avait pas revue depuis près d'un an et, déjà, elle n'en parlait plus. Ivan avait bien tenté d'établir une communication régulière par Internet entre la mamie et sa petite-fille, mais la dame, prisonnière de son fauteuil roulant et de ses nombreuses orthèses et prothèses, n'arrivait pas à manipuler le seul ordinateur à sa disposition dans la salle communautaire du centre. Elle n'en manifestait d'ailleurs aucun intérêt ni regret, pas plus qu'elle ne s'adressait longuement et chaleureusement à l'enfant par téléphone. À la longue, si on espaça les appels outre-mer, on persista tout de même à garder un certain contact afin d'éviter que madame Shebel ne commence à disparaître petit à petit de la mémoire de la fillette.

Marjolaine, parfois envahie de remords d'avoir ravi à cette femme le seul amour qu'il lui restait, se promettait de lui emmener Samiha au cours de l'été, dès qu'Ivan pourrait se libérer et que le médecin accepterait de laisser partir l'enfant à l'étranger pour un court séjour. Après Fontainebleau, on en profiterait alors pour faire un saut à Dubrovnik, où vivaient les seuls membres résiduels de la famille croate d'Ivan : sa sœur Lydia, son mari Joseph et leurs trois filles.

— Maman, est-ce l'heure de la collation ?

— Oui, mon amour ! Invite ta copine, si elle veut venir.

— Non, sa mère l'a appelée. J'ai faim, moi !

— Tu as le choix : une pomme ou une poire ?

— Je préférerais un biscuit au chocolat.

— Ah ! ça, ma grande, le docteur ne le permet pas. Tu en auras peut-être un ce soir, si tu manges tous tes légumes.

Samiha choisit la pomme sans protester et s'informa de l'heure d'arrivée de son grand frère. Elle adorait Rémi et il le lui rendait bien, l'interdiction de sortir à l'extérieur en dehors des heures de classe laissant au jeune homme tout le loisir de s'occuper de sa demi-sœur. Les casse-têtes, films pour enfants, jeux de hasard et jouets numériques n'avaient plus de secret pour lui et la fillette. Marjolaine appréhendait un drame si jamais Rémi devait demeurer à long terme au centre jeunesse. Compte tenu du plan élaboré la veille au téléphone avec Jean-Claude, il ne rentrerait probablement pas à la maison après sa visite au poste de police en début de soirée, et cela se reproduirait sans doute durant une certaine période, le temps de régler cette inquiétante histoire de menaces de la part du trafiquant de drogue.

Marjolaine en voulut au destin de Samiha. Une fois de plus lui arracher l'un de ses précieux repères en la personne de Rémi, son grand frère d'adoption qui devrait momentanément habiter loin d'elle… Quelle cruauté ! Pour quelle raison le mauvais sort l'avait-il marquée à ce point, cette innocente gamine ?

— Rémi ne viendra pas faire dodo ici, ce soir, ma chérie. Et cela va peut-être durer pendant plusieurs jours.

— Il va aller où, Rémi ?

— Il va aller dormir chez oncle Jean-Claude. Mais ne t'inquiète pas, il va revenir. Et si tu le veux, tu feras dodo avec moi, ce soir, en attendant que papa revienne de voyage.

Marjolaine parlait tout autant pour elle-même que pour l'enfant. C'est avec soulagement qu'elle reçut, quelques minutes plus tard, un appel de vidéoconférence de la part d'Ivan, toujours à Paris. Tout allait bien pour lui et il prévoyait un retour d'ici quelques jours. En larmoyant quelque peu, elle s'employa à lui donner tous les détails de la rencontre de la veille entre Rémi et Robert, l'agent de probation, de même que l'intervention de Jean-Claude. Ivan tenta vainement de la réconforter.

— Ne t'en fais pas, mon amour, Jean-Claude est là et il va y voir. Fais-lui donc confiance.

— Viens-t'en, Ivan ! J'ai peur… Si, pour se venger et ne trouvant plus Rémi en dehors du cégep, le gars décidait de s'en prendre à la mère ou à la petite sœur de celui qui a porté plainte, hein ? Je ne me sens plus en sécurité, moi.

— Mais non, mais non ! Je n'y crois pas, Marjolaine. Ce sont de jeunes écervelés qui cherchent seulement à effrayer les autres en lançant des menaces en l'air.

— Non, Ivan, celui-là me semble un caïd expérimenté. Ces méchants drogués sont prêts à tout pour trouver de l'argent, surtout quand il s'agit de récupérer leur dû. Oh! reviens vite, mon amour, tu me manques tellement!

Dans son emportement, Marjolaine avait oublié la présence de Samiha à ses côtés, en train de colorier une page de son cahier sur le coin de la table de la cuisine, tout en écoutant la conversation. La mère souhaita ardemment qu'elle n'ait rien compris à toute l'affaire. Évidemment, sensible comme son père, la petite avait en effet décelé des nuages à l'horizon, sans en saisir réellement le véritable sens. Une fois la webcam refermée, elle regarda sa mère d'un air triste et inquiet, et se releva aussitôt pour lui tendre sa page à moitié terminée.

— Tiens, maman, un cadeau pour toi.

Il s'agissait d'un magnifique papillon fixé sur une fleur rouge sur lequel l'enfant n'avait pas eu le temps d'appliquer des couleurs.

«Un papillon blanc», se dit Marjolaine.

Après le souper, si elle attendait un appel téléphonique à la suite de la plainte de Rémi au poste de police, Marjolaine se réjouit en voyant plutôt son fils pénétrer dans la maison en compagnie de Jean-Claude. Enfin, elle en apprendrait davantage sur cette affreuse histoire. Qui sait si leur compte rendu ne mettrait pas un terme à ses inquiétudes… À tout le moins, elle le souhaitait.

Rémi se montra d'abord calme et serein.

— Tout va se régler demain, maman.

— Comment ça, demain? Ils vont arrêter le *pusher* et l'envoyer derrière les barreaux pour de simples menaces?

— Non, non, ça risque d'être long avant de l'attraper, selon les policiers. Pas certain non plus qu'on le garde longtemps en état d'arrestation en attendant son procès. Vingt-quatre heures, tout au plus, m'a dit l'enquêteur, le temps de le faire passer devant un juge pour lui fixer une date de comparution. On va plutôt lui redonner sa liberté avec des conditions très sévères à respecter, dont celle, en particulier, de ne plus me revoir, ni au cégep ni ailleurs. Si jamais il le fait, on lui mettra immédiatement le grappin dessus et, cette fois, il devra attendre sa sentence derrière les barreaux.

— Ah bon.

Il s'agissait du pire des scénarios imaginés par Marjolaine. Le bandit toxicomane, toujours sans son argent et certainement pas le genre à se préoccuper des conditions imposées, serait remis en liberté avec un procès prévu dans Dieu sait combien de temps à cause de celui qui lui doit de l'argent… La belle affaire ! Et la vengeance ? Les policiers ne savaient-ils pas que ça existait ? S'imaginaient-ils que le gaillard resterait bien sagement assis sur son derrière en attendant sa condamnation pour avoir simplement proféré de vagues menaces verbales ?

Elle se garda bien de réagir, mais Rémi changea aussitôt de ton et se montra tout joyeux en brandissant sous son nez une grande enveloppe brune scellée.

— T'en fais pas, maman, des changements sont survenus. Regarde : cette enveloppe réglera le problème, pour un certain temps du moins. Elle contient exactement cinq mille dollars comptant que je remettrai au gars dès demain matin. J'ai ma petite idée de l'endroit où le trouver. Il va enfin me ficher la paix, le sacrament !

— Cinq mille dollars ? Comment cela ?

— C'est papa qui me les a fournis, maman, croirais-tu ça ?

— Quoi?

Jean-Claude prit alors la parole et expliqua fièrement, en long et en large, comment, au cours de l'après-midi, il s'était rendu au bureau d'Alain afin de le convaincre de dépanner son fils de toute urgence. Après l'avoir remercié une fois de plus pour le généreux chèque remis par son entreprise au centre Les Papillons de la Liberté, le soir du concert-bénéfice, le handicapé lui avait fait valoir que l'occasion rêvée se présentait pour le père de sauver son garçon d'un danger imminent. Au pire, Rémi pourrait remettre la totalité à son paternel dès qu'il posséderait un emploi stable, dans deux ou trois ans au plus tard. Après tout, cet argent, Rémi le devait réellement à quelqu'un, même s'il s'agissait d'un bandit. Et ce montant ne représentait qu'une avance sur la dette entière.

Les arguments invoqués avaient pesé. Pour le moment, il fallait tout mettre en œuvre pour sortir Rémi de l'impasse au plus vite et l'aider à préparer son avenir. Surtout ne pas le perturber avec ces stupides menaces, car il s'avérait déjà assez difficile pour le pauvre garçon de suivre un cours au cégep tout en observant les consignes sévères dues à sa libération conditionnelle. Il importait présentement de ne pas le désorganiser encore plus, mais plutôt de lui tendre la main. Si le cher monsieur Legendre s'en trouvait capable, bien sûr! Jean-Claude n'éprouvait pas de doute là-dessus: Alain, ou à tout le moins son entreprise, semblait nager dans l'abondance.

— Alain n'a pas hésité longtemps, Marjolaine. Il a aussitôt appelé sa banque et signé un chèque personnel à remettre à Rémi. Il ne voulait pas que sa compagnie soit impliquée dans une affaire de famille et il a préféré utiliser ses propres économies. Voilà, ma chère, un dénouement plus qu'heureux! Dès la fin des cours, nous sommes passés à la banque et avons également appelé l'agent Robert. Il n'en revenait pas de cette conclusion, mais il a conseillé à Rémi de retourner au poste de police pour tout raconter en détail.

— C'est fait, maman! Il me reste plus qu'à trouver le *pusher*, demain, et à lui remettre son argent en jurant, moi, de porter plainte contre lui si jamais il recommence. Je connais maintenant la chanson.

Marjolaine faillit lui répondre que le gars aussi connaissait la chanson. Il lui suffisait de faire quelques menaces à Rémi et ça marchait : il remboursait aussitôt l'argent. Wow! Pourquoi ne pas recommencer? Après tout, ces cinq mille dollars ne représentaient qu'un acompte.

— Tu lui dois combien, au juste, à ce trafiquant?

— Euh… pas mal plus d'argent que ça…

— Mais… au moment du hold-up, il te réclamait seulement cinq cents dollars, si ma mémoire est bonne. C'est monté à cinq mille, et maintenant tu me dis lui devoir pas mal plus que ça?

— Cinq cents, c'était que la pointe de l'iceberg.

Marjolaine se retint d'exiger des précisions. Mieux valait prendre la vie un jour à la fois. *Un jour à la fois…* Elle se demanda quel poète avait écrit cette chanson.

Après une nuit d'insomnie, elle composa, aux petites heures du matin, le numéro d'Ivan. En calculant le décalage horaire, elle décréta qu'il devait bientôt se lever.

— As-tu bien dormi? J'ai besoin de toi, Ivan…

— Que puis-je faire pour toi d'aussi loin et à sept heures trente du matin, ma chérie?

— Tu as toujours un piano dans ta suite, je présume?

— Euh… oui. Pourquoi cette étrange question? Est-ce que tout va comme tu veux, mon amour?

— Je t'en prie, joue pour moi *Jesus bleibet meine Freude*♪ de Bach. Joue-le pour moi toute seule, comme si c'était une prière.

♪   Pour entendre les deux versions de ce morceau, visitez le www.quebec-amerique. com/coupsurcoup et sélectionnez les extraits musicaux nos 1 et 2 : *Jesus bleibet meine Freude, BWV 147,* de Bach.

CHAPITRE 5

L'intuition de Marjolaine ne l'avait pas trompée : le revendeur connaissait bien la chanson et les menaces payaient. S'il ne revint pas immédiatement à la charge contre Rémi après avoir perçu les cinq mille dollars, il le fit par la suite auprès d'autres débiteurs qui, inespérément, portèrent plainte à leur tour contre lui pour diverses intimidations, des chantages tout aussi redoutables et même pour des voies de fait très graves. On ne tarda donc pas à lui mettre la main au collet et, cette fois, à le maintenir sous les verrous, à cause des autres accusations, dont certaines très sérieuses de trafic de drogue, qui s'ajoutèrent à son dossier. Sans doute le garderait-on durant un certain nombre d'années derrière les barreaux, d'après les dires d'un avocat consulté par Jean-Claude.

Ouf ! Marjolaine se sentit délivrée d'un énorme poids et n'arrêta pas d'en remercier le ciel.

Au bout du compte, un nouveau vent de liberté et de fraîcheur soufflait sur la rue Durham, et tous purent accueillir les premiers signes de l'été avec un soupir de soulagement.

Rémi retrouva son sourire et un regain d'énergie. Enfin la paix ! Il manifesta un intérêt renouvelé pour ses cours d'été avec l'impression qu'un point final venait de s'inscrire sur ses bêtises de naguère. Fini la drogue, fini les gangs de rue, fini les menaces, fini la prison, surtout. Une gang, il en possédait une, extraordinaire, autour de lui, chez lui et parmi les siens, et cette gang s'avérait prodigue d'amour, de respect et de soutien. Quant à la drogue, il n'avait plus rien à aller chercher dans les *trips* et les voyages illusoires. Balivernes et folies que tout ça, en plus de constituer la meilleure façon de ruiner son avenir ! L'heure venait de sonner sur le rattrapage du temps perdu et le recommencement réel et concret d'une vie nouvelle. Une vie normale, saine, honnête, et pourquoi pas simple et banale ? L'avenir lui souriait enfin et, fort de son expérience et des trucs appris durant ses cours, il se sentait de plus en plus en mesure, par son futur travail d'intervenant social, d'aider d'autres jeunes à éviter les écueils auxquels il s'était lui-même dramatiquement buté.

Comme tous les autres, Ivan ressentit lui aussi un souffle accru de vitalité pour affronter le stress occasionné par les examens finals de ses élèves au doctorat et la préparation d'un récital où il devait interpréter des pièces n'appartenant pas à son répertoire habituel. Le pianiste commença même à s'intéresser au jardinage et à la plantation de fleurs annuelles, au grand bonheur de sa compagne toujours occupée à la rédaction de son roman.

Un jour, il lui fit part de son enthousiasme.

— Regarde, Marjolaine, comme mes pensées bleu et mauve sont jolies dans la boîte suspendue sous la fenêtre du salon. J'ai bien fait de choisir cette variété, elles me rappellent les fleurs que nous avons plantées sur la tombe de Beethoven à Vienne, tu t'en souviens ?

— Évidemment que je m'en souviens ! Parlant d'Europe, j'ai vu le médecin de Samiha, ce matin, et il nous donne enfin le feu vert pour emmener la petite en voyage durant deux semaines, mais pas davantage.

On décida donc de mettre le cap d'abord sur la France dès la fin de juillet. Une tournée de quelques jours à Paris s'imposait, suivie d'une courte visite à la grand-mère de l'enfant, madame Shebel, à Fontainebleau. Pourquoi pas, ensuite, passer les derniers jours à Dubrovnik chez Lydia, la sœur d'Ivan, où Marjolaine n'était jamais retournée depuis leur première rencontre?

On se balada donc dans les rues de Paris parmi les hordes de touristes, sans trop provoquer l'enthousiasme de Samiha. À cinq ans, elle n'en avait rien à foutre de l'Arc de triomphe, de l'église Notre-Dame et des tableaux du Louvre, plus excitée par le coca-cola offert par son père au Café de la paix et la tour Eiffel miniature achetée sur les quais de la Seine que par les charmes mêmes de la ville.

— Pourquoi, maman, on appelle Paris la Ville Lumière? Je ne vois pas tant de lumières que ça!

— Parce qu'il y a très, très longtemps, Samiha, au dix-neuvième siècle, Paris a été la première ville à installer des lampadaires dans les rues.

— Ah bon.

Malgré son intelligence vive et son intérêt pour tout ce qui l'entourait, les mots « dix-neuvième siècle » n'évoquaient rien pour elle.

C'est en chantant des airs populaires que le joyeux trio parcourut en voiture les routes menant à Fontainebleau, traversant les vieux villages tellement romantiques aux yeux de Marjolaine, tellement moyenâgeux à ceux d'Ivan et tellement ennuyeux pour la pauvre Samiha. Même les noms faisaient rêver l'écrivaine : Créteil,

Noisy-le-Grand, Savigny-le-Temple, Melun, Bois-le-Roi... Un jour, elle les utiliserait assurément dans un roman.

À Fontainebleau, la visite du château, haut lieu de l'histoire de la France, impressionna bien davantage la fillette que la résidence où habitait sa grand-mère. En effet, la maison d'hébergement Main dans la main ne payait pas de mine. Le bâtiment ancien et mal aménagé, les chambres étroites et peu éclairées, l'ameublement démodé et désuet, tout paraissait à l'image de sa clientèle vieillissante et en perte d'autonomie.

Avec ses yeux brillants et son esprit vif toujours présent, madame Shebel détonnait parmi les autres résidants pour la plupart beaucoup plus âgés qu'elle. À cause d'un terrible accident de voiture, non seulement elle avait perdu son mari et sa propre capacité physique de subvenir à ses besoins, mais elle avait dû placer dans un foyer nourricier sa petite Samiha, orpheline de mère et dont elle prenait soin depuis plusieurs mois.

Marjolaine et Ivan n'avaient jamais oublié leur dernière rencontre avec elle, quelques jours avant leur retour définitif au Canada avec l'enfant, l'année précédente, après son opération. La femme les avait blâmés de lui voler sa petite-fille alors qu'Ivan venait juste de lui sacrifier un de ses reins. Même si le couple avait interprété cette attitude agressive comme un cri de désespoir plutôt que de haine, la révolte et les protestations de la femme lui avaient brisé le cœur. Malgré tout et réflexion faite, les nouveaux parents s'étaient promis de maintenir un certain contact avec madame Shebel et de lui faire revoir sa Samiha chérie, un de ces jours. Après tout, la dame avait rempli son rôle de grand-mère du mieux qu'elle avait pu après la mort de sa fille Sarah, la mère de l'enfant.

Amal Shebel ne les accueillit pas avec un large et aimable sourire. Était-ce dû à une incapacité physique quelconque ou bien au mécontentement de les recevoir et, par le fait même, de réveiller le passé ? Peut-être se sentait-elle déçue de soulever d'anciennes émotions qu'elle croyait éteintes à jamais ? Peut-être n'avait-elle pas envie de revoir sa petite-fille et de renouveler un sacrifice qui lui avait déjà trop coûté ? Aucun épanchement, aucun baiser à l'enfant, pas même une exclamation de joie… Elle ne prodigua pas d'éloges non plus, pas davantage au sujet de l'excellente condition physique de Samiha et ses nombreux progrès que sur la bonne santé du donneur à qui elle devait la vie.

L'enfant, d'ailleurs, se montrait timide et renfermée, et peu de souvenirs précis de sa grand-mère semblaient s'animer dans son esprit. Marjolaine se demanda si les souvenirs de Samiha ne s'avéraient pas désagréables plutôt que simplement imprécis.

Une ambiance de gêne et de froideur s'installa bientôt dans la chambre, au point où Marjolaine en vint à douter que cette femme ait jamais aimé la fillette. Elle regretta l'initiative de cette rencontre décevante et la perte de temps et d'argent occasionnée durant ce trop court voyage. La petite famille aurait mieux fait d'aller visiter une autre partie du pays, c'eût été assurément plus agréable.

À un moment donné, madame Shebel appuya sans prévenir sur le bouton d'urgence. Une infirmière pénétra dans la chambre quelques minutes plus tard.

— Que se passe-t-il, madame ?

— Il se passe que j'aurais des choses à confier à mes visiteurs sans la présence de l'enfant. Pourriez-vous lui faire quitter la chambre pendant une dizaine de minutes, s'il vous plaît ?

L'infirmière sembla hésiter quelques instants, puis, après avoir jeté un coup d'œil interrogateur à Marjolaine et à Ivan, elle s'approcha de Samiha.

— Bonjour, ma grande. Aimerais-tu manger une glace? Nous servons ici la meilleure de toute la France, et tu pourras choisir parmi les nombreuses essences offertes à la cafétéria de la résidence. Que dirais-tu de venir en déguster une avec moi pendant que maman et papa discutent avec ta grand-mère?

Samiha se montra d'abord intriguée, puis plutôt réticente, mais le signe de tête affirmatif et l'encouragement de Marjolaine lui parurent si rassurants qu'elle accepta de donner la main à l'infirmière.

— Vas-y, ma chouette, et n'oublie pas de nous rapporter quelques biscuits, si cela est possible, naturellement. Je suis certaine que grand-maman l'apprécierait.

— Pas du tout, ma chère! répondit platement madame Shebel. Je déteste les sucreries.

Ivan poussa un soupir si bruyant que sa compagne l'interpréta comme le signal d'un départ imminent vers d'autres contrées. Il en avait assez de tout, de Fontainebleau, de cette femme, de l'atmosphère de cette chambre puant autant le je-m'en-foutisme que l'urine.

Madame Shebel ne perdit pas de temps et entreprit immédiatement un étonnant discours comme si elle l'avait préparé de longue date et appris par cœur.

— Voici la confidence que je veux vous livrer : Sarah, la mère de Samiha, vit toujours.

Ivan bondit sur ses pieds et l'interrompit aussitôt.

— Quoi! Sarah ne s'est-elle pas suicidée quand ma fille avait deux ans?

— Vous ignorez sans doute qu'elle avait une jumelle identique, une malheureuse qui vivait comme une crève-la-faim quelque part, dans la région de Paris, elle aussi. À vrai dire, mes deux filles ne se débrouillaient pas très bien depuis notre départ de Tunisie. Feriel, clocharde, et Sarah, gigolette et incapable de stabilité, en plus d'être la mère célibataire d'une enfant qu'elle semblait traîner comme un boulet. Pourquoi la sœur de Sarah est-elle venue se suicider d'une surdose à Fontainebleau, dans la remise derrière notre maison, l'histoire ne le dit pas. Mais quand Sarah la vit, étendue sans vie sur le plancher, elle s'empara de toutes les pièces d'identité contenues dans le sac à main de sa jumelle et détruisit les siennes avant de nous annoncer sa découverte avec des cris d'horreur. Bien sûr, son père et moi avons aussitôt compris l'astuce et réclamé des explications sur ce changement d'identité. Les précisions s'avérèrent sommaires, croyez-moi. Sarah, cette fille insensible dont nous étions peu fiers, nous a annoncé vouloir quitter la France à tout jamais en utilisant le nom de sa jumelle. Comme elle désirait refaire sa vie ailleurs, dans un autre pays, elle n'avait pas l'intention d'emmener l'enfant. Personne ne pourrait la retrouver, «vu que Sarah Shebel venait de se suicider». Le même jour, elle avait déjà quitté le pays en portant le nom de Feriel Shebel.

— Je n'en reviens pas !

— Quand on a découvert, par la suite, que notre fille Sarah faisait l'objet d'une recherche par la justice française, nous avons compris sa ruse et choisi de garder le secret en maintenant la fausse identité de la morte. À vrai dire, à cause de sa disparition, la mère de Samiha est devenue aussi morte pour nous que sa sœur. Comme nous connaissions très peu de gens en France et qu'à peu près personne n'était au courant de l'existence d'une jumelle, on ne s'est pas rendu compte de la fourberie. Pour les autorités civiles, Sarah Shebel s'était suicidée après le départ de sa sœur Feriel. Les poursuites de Sarah en justice s'arrêtèrent là, naturellement.

Paralysés de stupeur, ni Marjolaine ni Ivan ne semblaient en mesure de réagir. Quoi! La mère de Samiha existait toujours et elle usait d'un faux nom, à tout le moins d'un faux prénom! Malheureusement, elle connaissait le nom du père de son enfant : Ivan Solveye, le célèbre pianiste de réputation mondiale. Autrement dit, un homme bien nanti et facilement retrouvable sur la planète. Que se passerait-il si jamais cette folle se pointait en revendiquant ses droits maternels? Les papiers officiels d'adoption signés par Marjolaine chez un notaire de France resteraient-ils valables? Au fait, cet homme de loi était-il au courant de l'étrange machination? Et pendant combien de temps une mère devait-elle abandonner son enfant pour perdre légalement ses droits? Et dans quel pays s'était-elle donc réfugiée, cette vilaine qui ne méritait pas le titre de mère? Comment s'appelait-elle maintenant? Feriel Shebel? Jamais Marjolaine et Ivan n'arriveraient à oublier ce nom.

Le pianiste osa lancer la question qui lui nouait la gorge :

— Où se trouve-t-elle?

— Je n'en ai pas la moindre idée, monsieur. Sarah, ou plutôt Feriel, n'est jamais réapparue dans le décor et je ne sais plus rien d'elle. De toute manière, ne vous inquiétez pas, cette sans-cœur ne reviendra jamais réclamer sa fille. Surtout pas au Canada. Parce que pour les sentiments maternels…

— Mais vous, madame, vous possédez notre adresse et nos coordonnées au Québec. Sous la menace, elle pourrait peut-être obtenir de vous ces renseignements afin de relancer sa fille. Qui vous dit qu'elle ne s'est pas acoquinée avec un millionnaire prêt à payer pour accomplir ses quatre volontés? Ou si, au contraire, ayant un pressant besoin d'argent, elle n'en réclamerait pas à Ivan par la voie de chantage, comme elle l'avait fait après la naissance de Samiha?

— Vous avez ma parole d'honneur, monsieur Solveye : je ne divulguerai jamais rien de tout cela, par amour pour ma petite-fille. Sarah ne mérite pas son enfant et n'a pas le droit de venir troubler votre vie paisible et heureuse. Ce sera mon dernier geste de considération envers ma belle Samiha. Vous, monsieur Solveye, vous lui avez donné un second coup d'envoi dans sa jeune vie d'enfant malade, et vous, madame Danserot, vous avez accepté de l'adopter. Vous me paraissez tous les deux dignes d'être ses parents. Pas ma fille ! De toute manière, elle a abandonné Samiha depuis bientôt trois ans, elle ne reviendra jamais, je n'ai aucun doute là-dessus.

Marjolaine ne put se retenir de pousser un grand soupir, convaincue que ce laps de temps devait suffire légalement pour retirer tous ses droits maternels à cette femme. Bien consciente de l'effet salutaire de ses paroles, Amal décida d'en rajouter.

— Ne craignez rien, madame Danserot, je ne vais pas ruiner la vie de Samiha, pour l'amour d'une telle égoïste, fût-elle ma fille. Faites-moi confiance. Si jamais cela se produisait, j'ai ici, dans mes papiers, des preuves écrites de l'identité réelle de celle qui s'est suicidée et de l'autre qui en a usurpé. Quand je les ai mises au monde, on a estampillé les empreintes d'un doigt et du talon de chacune sur leur acte de naissance. En cas de problème, vous aurez la permission d'utiliser ces documents afin de dévoiler aux autorités la vérité sur la pseudo Feriel Shebel, même après ma mort. Sous cette menace, ma fille Sarah, ou plutôt mon ancienne fille – car je ne la considère plus comme la mienne, va vous ficher la paix, je n'en doute pas un instant.

Sur ces entrefaites, l'infirmière revint avec Samiha toute souriante, brandissant trois biscuits au chocolat, qu'elle s'empressa d'offrir à la ronde.

— Tiens, maman ! Tiens, papa ! Tiens, mamie !

La grand-mère, les larmes aux yeux, croqua le biscuit en s'exclamant haut et fort :

— Ah, ma petite chérie ! Tu viens de m'apporter le plus beau trésor sucré de ma vie : toi ! Je te remercie, tu es adorable. Et tu me procures surtout le bonheur de m'être enfin, pour la première fois depuis trois ans, libérée d'un répugnant secret. Viens près de moi une seconde, ma belle Samiha. Bon, ouvre le deuxième tiroir de la commode et regarde tout au fond, à droite. Tu vas y trouver une grande enveloppe beige. Va la porter pour moi à ton papa, tu veux bien ?

Samiha remit aussitôt à Ivan une enveloppe signée sur laquelle était inscrit : *Actes de naissance et preuves d'identité de mes filles, Sarah et Feriel Shebel.* Puis, l'enfant se tourna vers sa grand-mère qui l'interpella de nouveau.

— Maintenant, ma chérie, approche-toi encore de moi. Cette fois, tu vas devoir m'aider, car mon bras et ma main gauches sont très malhabiles. J'aimerais que tu retires de mon cou le médaillon et la chaînette qui y sont suspendus.

Comme la fillette y arrivait mal, Marjolaine, un peu mal à l'aise, s'empressa de se lever pour l'aider.

— Maintenant, Samiha, glisse la chaîne autour de ton cou. Je te donne ce bijou en souvenir de moi. Il provient de Tunisie et c'est ma mère qui me l'avait offert quand j'ai quitté mon pays pour émigrer en France. À moi, il n'a pas vraiment porté chance, mais j'espère qu'il sera favorable à toi au Canada.

Il s'agissait d'une perle d'or pur fort jolie, suspendue par un anneau à une fine chaînette, en or également.

Marjolaine se dit que sous une apparence rigide et endurcie, sans doute le fruit de trop de souffrances assumées en solitaire, existait indubitablement chez la grand-mère de Samiha un cœur sensible et généreux. Elle se promit de poursuivre sa correspondance avec elle, coûte que coûte.

CHAPITRE 6

La visite à Dubrovnik s'avéra plus agréable que le séjour en France, même si, à l'arrivée à l'aéroport, un filet d'amertume ne manqua pas de provoquer quelques tressaillements dans la voix d'Ivan. Bien sûr, cette agitation silencieuse n'échappa guère à la perspicacité de Marjolaine. Elle glissa une main qui se voulait rassurante et consolatrice dans celle, frémissante, du pianiste.

— Tu ne pourras jamais remplacer ceux que tu as perdus ici naguère, Ivan, mais les choses ont changé. Tu n'es plus tout seul au monde, maintenant.

— Tu as raison. Les rares fois où j'ai débarqué en Croatie, j'ai éprouvé le sentiment de pénétrer dans un cimetière. Mais aujourd'hui, la vie palpite autour de moi, tellement passionnante et heureuse ! J'arrive ici en compagnie d'une amoureuse et d'une petite fille, que demander de mieux à la vie ? Merci d'être là, mon amour. Et merci d'avoir accepté Samiha dans ton existence. Dans notre existence…

Comme si elle saisissait les raisons qui rapprochaient soudainement ses parents, la fillette s'empara de la main de son père et de celle de sa mère et se blottit entre les deux, pressentant intuitivement la nécessité de former un bloc homogène avec eux.

Lydia, qui les attendait joyeusement derrière le poste de douane, mit sans le savoir un point final aux souvenirs sombres de son frère.

— *Dobar Jutro* ! Bienvenue chez nous ! Comment allez-vous ? Moi, très contente à recevoir vous, Mardjoline ! Bonjour, Samiha, toi encore plus belle que photos !

Marjolaine resta muette d'ébahissement. Oh là là ! Sa belle-sœur avait appris le français sans l'aviser et semblait capable de se débrouiller pour tenir une conversation avec elle. Quelle surprise ! Depuis la découverte de Lydia, toujours vivante, lors du premier récital d'Ivan à Dubrovnik, les échanges s'effectuaient presque exclusivement en croate, par téléphone ou par courriel, entre le frère et la sœur. Gentiment, Ivan transmettait les nouvelles aux deux femmes ou traduisait dans leur langue respective les messages de l'une et de l'autre. Jamais n'avaient-elles eu l'occasion de communiquer directement ensemble.

Marjolaine se jeta spontanément dans les bras de sa belle-sœur.

— Lydia ! Tu parles français ! Et avec le même accent qu'Ivan, en plus ! Je n'en reviens pas ! Quelle surprise ! Depuis quand ?

— Depuis mon frère commence vivre avec toi. J'adore français, mais trrrrrès difficile ! Je parle avec nouvelle amie française sur mon école. Euh, non… dedans mon école.

Marjolaine découvrit alors la présence de son beau-frère, Joseph Lesic, debout derrière sa femme, la dévisageant avec curiosité. Un peu penaud de ne pouvoir s'exprimer en français comme Lydia, il souleva les épaules en signe de désolation, puis il la gratifia de son sourire le plus avenant tout en lui tendant la main.

— Biennevénous…

Marjolaine le trouva presque aussi beau que son Ivan. « Le deuxième plus beau Croate de la planète », songea-t-elle, amusée, en examinant sous cape le géant blond aux traits parfaits et à la voix chaude et profonde d'un baryton. Lors de son premier voyage à Dubrovnik, elle n'avait rencontré que Lydia, l'espace de quelques heures, à cause de son retour au Québec prévu très tôt le lendemain matin. Cette fois, Ivan, Samiha et elle allaient passer quatre jours auprès de la famille Lesic, et l'idée d'en découvrir chacun des membres, en dépit des difficultés de communication, lui plaisait grandement.

L'humble bicoque où nichait les Croates et les conditions plutôt misérables dans lesquelles ils vivaient, malgré les salaires d'enseignants du père et de la mère, l'enchantèrent moins. Elle se garda bien de manifester sa consternation, mais Lydia dut remarquer une pointe de déception sur le visage de sa belle-sœur, car elle s'écria, dès les premiers instants après avoir pénétré à l'intérieur :

— Ici, pas Amérique. Ici, pas richesse.

La femme se rapprocha alors de Joseph pour le prendre par le bras et lui jeter un regard plein de tendresse, tout en poursuivant son énoncé.

— Mais ici, bonheur : bon mari, trois jolies filles, fleurs, soleil, océan, musique, livres et… bonne pouffe !

Ivan sourcilla et ne put s'empêcher de reprendre sa sœur.

— Bouffe, Lydia, pas pouffe ! Bouffe…

Ce à quoi Marjolaine s'empressa de rétorquer, en plissant les yeux avec un air mi-figue, mi-raisin :

— Qui te dit que ta sœur ne voulait pas faire allusion à de bonnes «pouffes» de rire, hein, monsieur le connaisseur?

— En France, ma chère, on pouffe de rire et on déguste la bonne bouffe. Mais tu sauras que, dans le dictionnaire, une pouffe peut signifier aussi une grosse femme vulgaire ou ridicule, ou même une prostituée.

— D'accord, mon chéri, c'est un à zéro pour toi!

— Ouvre-toi les narines, ma belle, tu vas découvrir la preuve que Lydia voulait parler de bouffe. Ne perçois-tu pas les effluves de bon pain en train de cuire dans le four, derrière la maison? Et regarde sur le comptoir le gâteau royal qui nous attend. Oh là là! Quant à cet énorme flétan, Joseph, vas-tu le faire rôtir sur le barbecue?

Cette dernière phrase, Ivan la formula en croate. Marjolaine voyait son homme transporté d'une allégresse enivrante et incomparable, dépassant largement l'exaltation ressentie lorsqu'il saluait, à l'avant-scène, la foule en délire l'applaudissant à tout rompre à la fin d'un concert. Ce plaisir des retrouvailles, ce bonheur inespéré pendant plus de vingt ans, il les avait cruellement payés. Il n'existait pas de mot pour traduire sa fierté de redevenir enfin lui-même, chez lui, dans son pays d'origine et parmi les siens. Une satisfaction qu'il avait cru perdue à jamais. Ici, il pouvait réendosser son véritable nom, celui de Franjo Penkala. De plus, Lydia, sa sœur chérie, possédait les mêmes gènes que lui et, encore mieux, tous les Lesic l'appelaient affectueusement «mon frère», «mon beau-frère» ou «mon oncle». Ah! avec quelle joie il présentait sa famille à la femme de sa vie!

Quelques instants plus tard, une fillette d'une dizaine d'années, l'air espiègle, descendit l'escalier et se dirigea directement vers Samiha en lui tendant timidement une sucette au miel.

— Anika, mon bébé, s'écria Lydia. Bonbon elle-même fabriqué pour toi.

Le geste acheva de casser la glace pour l'enfant d'Ivan et la rendit parfaitement à l'aise dans ce milieu si accueillant, en dépit de la langue. Elle s'empressa de goûter à la sucette pendant qu'Anika allait embrasser son oncle et sa nouvelle tante.

Une adolescente, légèrement maquillée et portant des cheveux longs, lui emboîta le pas, tenant à bout de bras une boîte de bonbons à la menthe qu'elle offrit à Marjolaine en ébauchant une vague révérence.

— Ela, quinze années, crut bon de préciser Lydia. Première de classe et estellente pianisse.

Cette fois, Ivan résista à la corriger. Depuis son premier retour à Dubrovnik pour un récital à la chandelle à l'église Saint-Ignace en compagnie de Marjolaine, il était revenu à deux reprises en Croatie pour visiter sa sœur. Il adorait ses nièces, qui l'appelaient «oncle Franjo».

Il s'approcha d'Ela et posa les mains sur les épaules de la jeune fille.

— Comme tu as grandi et comme tu es jolie! J'ai bien hâte de t'écouter. Tu jouais déjà merveilleusement du piano lors de ma dernière visite.

— Toi entendre Ela et Tonia dans concert, soir de jeudi prochain, mon cher Franjo, euh… Ivan. Tonia, elle venir plus tard, après leçon flûte. Toi pas reconnaître. Elle maintenant une femme… ou presque.

Avec un grand sourire, Ivan s'adressa de nouveau à Joseph en croate. Marjolaine ne comprit pas un traître mot, mais en le voyant désigner son estomac puis le poisson bardé de tranches de citron sur le comptoir, elle devina qu'il s'était déclaré mourant de faim. Les deux hommes s'acheminèrent alors, bras dessus, bras dessous, vers l'arrière-cour, tandis que les femmes s'affairaient dans la minuscule cuisine. Marjolaine eut le plaisir de dresser la table avec l'aide de Samiha et d'Anika. Après tout, ils allaient habiter là durant quatre jours, elle se sentait plus à l'aise de mettre la main à la pâte plutôt que de se laisser servir comme une princesse.

Quelques heures agréables s'écoulèrent. On achevait le succulent mais sobre repas quand survint Tonia, l'aînée de presque dix-huit ans, véritable portrait de sa mère en dépit de la blondeur dont elle avait hérité de son père. Si elle fit la bise à sa nouvelle tante avec une certaine retenue, elle ne se gêna pas pour sauter au cou de son oncle avec une touchante effusion. Les exclamations ne manquèrent pas de jaillir de part et d'autre, et la conversation vira une fois de plus au croate pendant un certain temps.

Avec la permission des parents, la benjamine de la famille se retira de table en compagnie de Samiha, qu'elle tenait par la main. De loin, Marjolaine voyait avec amusement sa fille sur le point de tomber de sommeil, le nez plongé dans un grand livre dont sa cousine Anika tournait rapidement les pages en pointant inlassablement des objets qu'elle tentait de lui apprendre à nommer en croate. La petite essayait de répéter les mots avec une maladresse adorable qui déclencha des fous rires autour de la table.

Le repas s'éternisa tard dans la soirée, après que les mères eurent mis les deux plus jeunes au lit, à l'étage. On élabora alors des projets pour les prochains jours, dont une balade sur les côtes de la mer Adriatique, la découverte d'îles au large de Dubrovnik, la visite de quelques musées et monastères, sans oublier, évidemment, le concert prévu pour la dernière soirée des visiteurs, à l'Academia del Arte, l'école de musique de Dubrovnik. Ela et Tonia étaient inscrites au programme et se préparaient depuis des mois à y présenter deux duos.

On respecta donc à la lettre les projets établis, et ils s'avérèrent une réussite. Le point culminant fut cependant le moment du concert. Ivan n'oublierait jamais cette soirée-là. De se retrouver dans la maison d'enseignement où lui-même avait appris les premiers éléments de la musique et découvert la joie immense de l'interpréter le remuait sans bon sens. C'est à cet endroit que les sons et les harmonies s'étaient infiltrés dans sa vie, roulant en lui comme des globules dans le réseau de ses veines et de ses artères, s'emparant de ses organes, de son cerveau et de son cœur. S'emparant de son âme. S'emparant, surtout, de son existence ! Son salut… C'est à cet endroit qu'il avait vraiment commencé à devenir le grand Ivan Solveye, le poète que la musique transportait jusqu'au divin. Jusqu'à l'absolu.

Voilà que ce soir-là, sous le même toit où il avait produit les premiers récitals de sa vie, il goûtait la joie immense d'entendre ses jeunes nièces interpréter divinement deux versions pour piano et flûte traversière d'extraits de l'*Album pour la jeunesse* de Robert Schumann ♪.

Ah oui, les gènes étaient là ! Autant la pianiste que la flûtiste possédaient le don de transcender les accents et d'épancher leurs âmes sur les phrases musicales. Avec quelle grâce et quelle émotion elles amplifiaient les crescendos en élans passionnés, pénétraient les adagios de l'intériorité du recueillement ou traduisaient les allegros avec les emportements de leur jeunesse. Bien sûr, les expressions de colère, de révolte ou de souffrance, tout comme celles de l'euphorie et des rêves de grandeur, en étaient aux balbutiements, mais elles

---

♪   Pour entendre ce morceau, visitez le www.quebec-amerique.com/coupsurcoup et sélectionnez l'extrait musical n° 21 : *Album pour la jeunesse* de Robert Schumann.

viendraient plus tard avec les années, Ivan n'en doutait pas un instant. Il ne put retenir ses larmes, et la main qui tenait celle de sa bien-aimée par-dessus le bras du fauteuil se mit soudain à trembler.

Après s'être joint aux auditeurs debout dans un tonnerre d'applaudissements, il se pencha au-dessus de Marjolaine et murmura d'une voix chevrotante :

— Tu sais quoi ? Mes parents vivent encore, je le sens. Ils continuent d'exister car Ela et Tonia ont hérité de leurs talents.

— Explique-moi.

— Mon père et ma mère possédaient l'âme de grands musiciens. Lui jouait du piano et elle chantait avec une magnifique voix de soprano.

— Ah ? Tu ne m'avais jamais dit ça.

— Ils n'ont pu aller très loin dans leur art, le climat social et la guerre ne le leur permettaient pas. C'est pourquoi ils misaient tous leurs espoirs sur moi. En ce moment même, je les reconnais, ils sont ici, avec nous, à travers leurs enfants et leurs petits-enfants… Papa et maman ont toujours continué de vivre à travers moi, je n'avais jamais pris conscience de cela. Il me fallait venir en Croatie, et rencontrer les miens pour le réaliser.

Le lendemain, les adieux déchirants à l'aéroport se révélèrent moins joyeux. On n'en finissait plus de s'étreindre et de s'embrasser, de se promettre d'autres rencontres pour bientôt.

— Vous allez revenir, n'est-ce pas, Ivan ?

— Je veux bien, mais c'est à votre tour de nous rendre visite.

Joseph, en rougissant, se sentit obligé d'apporter des précisions.

— J'aimerais beaucoup vous inonder de jolies promesses, mais les moyens financiers de la famille Lesic ne nous permettent certainement pas d'envisager prochainement un voyage au Canada. Désolé…

— Pas de désolation inutile, le beau-frère! s'écria Ivan, en réprimant difficilement un sourire énigmatique. Écoutez ce que je vais vous dire : Marjolaine et moi vous avons ménagé une surprise pour la toute dernière minute de ce voyage, histoire de réduire la tristesse de la séparation.

— Ah?

— Elle et moi avons formulé le projet de nous épouser très bientôt. Hélas, il nous a fallu attendre la parfaite guérison de Samiha et le retour à la normale du fils de Marjolaine avant de fixer la date du mariage. Comme tout semble vouloir maintenant rentrer dans l'ordre, j'aurai donc besoin d'un témoin et de musiciens, ou plutôt de musiciennes, pour le 21 décembre prochain. Que diriez-vous de venir passer le temps des Fêtes au Québec, dans la belle neige blanche? À nos frais, naturellement…

Les cris de joie des filles attirèrent l'attention de tous les passants déambulant dans la salle des pas perdus de l'aéroport.

— Dis oui, papa, dis oui…

Plus sage, Lydia ne voyait pas les choses du même œil. Avant de se réjouir trop vite, elle préféra mettre la situation au clair et tâter le sérieux de la proposition.

— Est-ce que je rêve? As-tu vraiment les moyens de nous offrir ça, mon frère?

— Euh… non, pas tout à fait. Mais j'ai de nombreux récitals en vue, mon album le plus récent marche bien, l'université est sur le point de renouveler mon mandat, mon agenda est rempli pour les trois prochaines années, et les ventes du dernier roman de ma future épouse dépassent de loin toutes nos attentes. Alors, on pourra certainement arriver à vous offrir des billets d'avion. De toute manière, on a le temps de s'en reparler. Mais… préparez-vous!

Si elle ne saisit rien au discours de son homme, prononcé dans le croate le plus pur, Marjolaine en connaissait parfaitement la teneur puisqu'elle et lui en avaient encore une fois discuté sur l'oreiller, la veille. En voyant toute la famille lui sauter au cou avec effervescence, elle comprit que l'entreprise avait des chances de fonctionner. Ivan le méritait bien.

— C'est merveilleux! ne cessait de répéter Lydia, moi pas croire!

On se quitta donc dans l'euphorie de la bonne nouvelle et non la tristesse, avec la certitude que l'avenir réservait pour tous d'autres grands moments.

Quelques minutes plus tard, le couple tenant sagement une petite fille par la main se retourna une dernière fois avant de se diriger vers la salle des départs en marchant la tête haute et le cœur gonflé, fier d'avoir accompli un coup de maître.

CHAPITRE 7

Le roman de Marjolaine Danserot, *Le Miracle*, s'avéra effectivement un miracle dans tous les sens du terme. Non seulement dépassa-t-il largement le seuil des ventes de *best-sellers* au Québec, mais même les personnages réels qui l'avaient inspiré se tirèrent miraculeusement et haut la main de leurs problèmes évoqués dans le récit.

Ainsi, Rémi redevint plus sage, et Jean-Claude rompit sa solitude en épousant en bonne et due forme sa chère Monique, directrice du centre Les Papillons de la Liberté, par un beau samedi après-midi ensoleillé de la fin d'août. Petit mariage très intime où Rémi, vêtu à la mode de pied en cap, servit fièrement de témoin à son mentor handicapé appuyé sur sa canne. Quant à la mariée, veuve depuis plus de trente ans et sans enfant, elle n'avait qu'une sœur et un beau-frère pour représenter sa famille. Marjolaine, Ivan et Samiha de même que François, Caroline et leur petite Justine complétaient la courte liste d'invités.

On sabla ensuite le champagne dans le salon de la rue Durham, où un traiteur attendait le groupe après la brève cérémonie religieuse.

Ivan y alla de quelques pièces d'ambiance sur le piano, et Marjolaine se permit d'offrir ses vœux sous la forme d'un long poème rempli autant d'humour que d'émotion, lu par elle-même avec une voix vibrante et teintée de sincérité.

Quand on sonna à la porte, quelques instants plus tard, elle ne put retenir un cri de surprise en apercevant une dizaine de jeunes d'âge mineur détenus au centre Les Papillons de la Liberté. Trois filles et sept garçons transportaient une énorme gerbe de fleurs de papier formées d'une centaine de billets enroulés sur des bouts de branches, portant chacun un message de souhait différent tel que *Soyez heureux, Bonne chance, Vive les amoureux, Merci d'être là.* Tous avaient été rédigés par les pensionnaires en guise de témoignage d'affection et de reconnaissance.

— Vous êtes merveilleux! s'écrièrent les mariés, bouleversés.

— Ce n'est pas tout! affirma l'un des garçons. Nous avons composé une chanson pour vous, monsieur Normandeau et madame Dusablier, et nous aimerions bien l'interpréter pour vous avant de retourner au centre. Que voulez-vous… on ne nous a alloué que quelques minutes et notre chauffeur revient nous chercher à la porte dans une demi-heure.

L'une des jeunes filles crut bon d'apporter des précisions.

— Nous avons eu l'aide d'un bénévole pour planifier tout ça. Non seulement il a contribué à composer les paroles avec nous, mais c'est lui qui nous a secrètement obtenu, du directeur adjoint et à l'insu de madame Dusablier, la permission de sortir du centre pour venir la chanter ici. Quant aux fleurs, l'idée vient de lui, même s'il ne les a pas fabriquées lui-même. Il faut dire que tous les jeunes du centre sans exception se sont mis de la partie pour cela.

— Mon Dieu! Qui est donc ce bénévole?

— Je ne peux pas vous le révéler, car il nous a fait jurer par tous les dieux de ne pas vous révéler son nom.

Curieusement, l'adolescente, pourtant pensionnaire depuis des mois dans une maison pour délinquants, savait très mal mentir et ne cessait de jeter des coups d'œil à la dérobée vers un Rémi immobile et embarrassé, enfoncé dans l'un des fauteuils du salon. Quand il réalisa que tous avaient deviné son rôle, il baissa la tête en affichant un sourire qu'il aurait voulu coupable, mais qui cachait difficilement sa fierté d'avoir réussi ce coup de maître. Les jeunes l'entourèrent spontanément, oubliant même l'existence des mariés.

— Hé! la gang! C'est pas moi que vous devez féliciter et embrasser! Allez plutôt saluer votre directrice et votre prof de français. C'est même le temps de leur demander un congé de devoirs et de leçons pour la semaine prochaine, tiens!

On se plia rapidement à la consigne dans un grand brouhaha. Finalement, la petite chorale se forma, prête à s'exécuter. Marjolaine faillit lâcher un autre cri d'étonnement en même temps que Jean-Claude et Monique en voyant Ivan s'asseoir au piano pour donner la note de départ et accompagner les jeunes sur l'air de l'*Hymne à la joie* ♪ de Beethoven. Ainsi, il était de connivence, lui aussi, et s'était rendu en catimini au centre pour quelques répétitions. Ah, le coquin!

On s'exécuta aussitôt, et la maison se remplit de jeunes voix claironnantes et ardentes.

♪ Pour entendre ce morceau, visitez le www.quebec-amerique.com/coupsurcoup et sélectionnez l'extrait musical n° 5 : « Hymne à la joie », dernier mouvement de la *Neuvième Symphonie* de Ludwig van Beethoven.

C'est grâce à vous
Si nous volons
En sages papillons.

Merci pour tout,
Nous n'oublierons
Aucun de vos grands dons.

Nouveaux mariés,
Oui, vous méritez
Ce temps béni de félicité.

Soyez heureux,
Voilà le vœu
De vos enfants joyeux!

On fit répéter la chanson à trois reprises et aucun des invités ne put s'empêcher de verser quelques larmes, Rémi et le pianiste autant que les mariés.

Le groupe de jeunes quitta ensuite la maison à regret, non sans s'être délecté des petits fours au chocolat commandés spécialement par Marjolaine pour flatter la gourmandise de son grand ami Jean-Claude.

— Il ne vous en restera plus, monsieur Normandeau! s'écria sur un ton railleur une rousse grassouillette en se pourléchant les babines.

— Pas grave! Le plaisir que vous venez de me procurer vaut pour moi des tonnes de petits fours. Je ne vous oublierai jamais, mes enfants. Car vous êtes mes enfants, vous tous, les jeunes du centre, et vous le savez. Vous l'avez d'ailleurs officiellement mentionné dans votre chanson.

— Oui, mais… comment allez-vous survivre avec une femme et cent huit enfants ? Pauvre madame Monique ! Votre nouvel époux vous avait-il avisée au moins, avant le mariage, qu'il possédait une telle famille ?

— Bien sûr ! Moi-même, je suis la mère de cent huit enfants depuis près de vingt ans, vous ne le saviez pas ? Et quand j'en perds un, ce n'est pas long qu'un autre le remplace.

La roussette ne tarda pas à répliquer du tac au tac, avec des yeux malicieux.

— On s'rait pas v'nus aussi émus si on l'avait pas su ! Tiens, tiens, ça pourrait servir pour un autre couplet dans la chanson, ça ! Qu'en penses-tu, Rémi ? Dis donc, tu viens toujours jouer avec nous au volley-ball samedi prochain ?

— Promis, juré !

— Bon, ben, on s'en va. Salut les mariés ! Salut tout le monde !

Les jeunes partirent après avoir soufflé des baisers du bout des doigts. La cérémonie de mariage de Monique et de Jean-Claude se termina tard dans la soirée, au grand plaisir de tous. Marjolaine se demanda comment elle arriverait à rendre le sien, prévu dans quelques mois, aussi attendrissant.

Le lundi matin suivant, après le départ d'Ivan et de Rémi, l'un vers l'université, l'autre vers le cégep, et celui de Samiha vers la pré-maternelle, Marjolaine se retrouva seule devant son ordinateur. Elle se remit à songer aux miracles pressentis dans son roman devenu un succès en librairie, ces prodiges sur le point de se réaliser concrètement. Ainsi, le mariage de Jean-Claude avait eu lieu comme dans le livre, et surtout, surtout, surtout, la réhabilitation optimale et évidente de son autre personnage en la personne de Rémi se poursuivait à merveille. Pour l'écrivaine, il s'agissait du principal exploit relaté dans le livre. Chaque jour, elle voyait la magie s'opérer de mieux en mieux, à tel point que l'agent de probation avait décidé d'assouplir les règles, de réduire sa surveillance et de ralentir le rythme de ses visites de contrôle à domicile.

C'est ainsi que Rémi pouvait offrir quelques heures de bénévolat par semaine chez Les Papillons de la Liberté. Grâce à son jeune âge et compte tenu de son vécu, de sa réadaptation et de son cheminement actuel, le garçon avait une influence mille fois plus grande que celle des intervenants adultes et diplômés, employés par le centre. On écoutait attentivement son témoignage, on l'inondait de confidences et on ne cessait de lui poser des questions personnelles et précises auxquelles il répondait en toute honnêteté. Fort non seulement de son expérience passée, mais aussi des enseignements qu'il recevait quotidiennement au Cégep du Vieux-Montréal, il savait maintenant écouter, consoler, rassurer et même conseiller. Sans trop s'en rendre compte, Rémi Legendre s'avérait un élément de plus en plus précieux pour le centre.

À la vérité, le jeune homme avait enfin trouvé sa voie. Parrainé par Jean-Claude, il deviendrait à son exemple un excellent intervenant social ou travailleur de rue auprès des jeunes. Au grand plaisir et soulagement de sa mère.

L'autre jour, il s'était ouvert le cœur.

— Tout ça grâce à toi, m'man !

— Comment cela ?

— Parce que t'as jamais cessé de m'aimer.

— C'est vrai, je n'ai jamais cessé de t'aimer et de te soutenir, mon fils, et Jean-Claude non plus. Mais admets que tu as effectué toi-même de superbes grands pas.

— Mmm… ouais! J'avoue que ça s'est pas avéré facile par bouts, mais là, j'ai vraiment repris le contrôle, je le sens. Je respire beaucoup mieux, d'ailleurs.

Le sourire satisfait et complice dont l'avait gratifié sa mère avait valu au garçon tous les prix, médailles et récompenses. Quant à elle, elle respirait mieux aussi, ne cessant de pousser des soupirs empreints d'un contentement incommensurable. Des souffles de libération. De vie, quoi!

La prochaine publication de Marjolaine Danserot ne s'intitulerait toutefois pas *Le Miracle, tome 2*, malgré la narration d'un autre miracle s'y produisant à long terme. L'histoire, inspirée d'un fait réel que lui avait raconté une lectrice lors d'un salon du livre, obsédait l'auteure et l'empêchait parfois de dormir. Un sujet laborieux, à bien y songer, qui plongeait souvent l'écrivaine dans des bouquins de psychologie, mais qui, en réalité, représentait un hymne éclatant à la gloire du rôle maternel.

Le drame que lui avait raconté cette vieille lectrice et qui concernait l'une de ses ancêtres s'était déroulé durant les années suivant la Première Guerre mondiale, dans un village éloigné de l'Abitibi. La femme en question avait découvert, au cours d'une nuit d'orage, son propre garçon en plein délit de pédophilie sur l'un de ses petits-fils. À l'époque, le 9-1-1 n'existait pas dans ces régions où il ne se trouvait même pas de ligne téléphonique. D'ailleurs, quelle mère appellerait immédiatement les policiers à la rescousse, en constatant ce genre d'horreur pour la première fois? D'abord pétrifiée par la situation, elle avait préféré miser sur le doute et les excès délirants de son imagination.

Le contexte du début du vingtième siècle exigeait également de nombreuses vérifications historiques de la part de l'écrivaine, à une époque où les scandales et les déchirements familiaux s'accumulaient en silence. Mais rien n'arrêtait Marjolaine. Le personnage de Juliette, à la fois mère et grand-mère, refusait de lâcher prise et tentait par tous les moyens de sauver son enfant détraqué, tout en essayant de protéger ses petits-enfants. Une histoire difficile qui, dans la réalité concrète, s'était bien terminée, en fin de compte, grâce à l'amour d'une mère réussissant à accomplir le miracle du pardon pour réhabiliter son fils.

Plongée presque chaque jour dans cette intrigue pathétique mi-fictive, mi-réelle intitulée *D'amour et d'espoir*, Marjolaine souhaita n'avoir jamais à vivre elle-même des événements aussi tragiques. Les écarts de conduite de Rémi semblaient des vétilles en comparaison des problèmes d'ordre psychique du fils de son personnage de mère, prisonnier de ses pulsions morbides et ne sachant ni où ni comment trouver de l'aide.

Toujours aussi passionnée par l'écriture, Marjolaine replongeait dans son manuscrit dès que Samiha lui en laissait le loisir. Depuis le début de l'automne, l'enfant éprouvait quelque difficulté à quitter la maison, deux ou trois fois par semaine, dans la voiture la conduisant à la garderie éducative. Déjà, durant sa courte vie, elle avait vécu deux sérieux arrachements, l'un d'avec sa mère et l'autre d'avec sa grand-mère. De plus, à cause de sa maladie, on l'avait forcément autant couvée, entourée et protégée à outrance qu'abandonnée parfois, seule dans une chambre d'hôpital. Ayant peu côtoyé d'autres enfants, Samiha arrivait mal à s'intégrer dans un groupe, en plus de supporter difficilement la séparation d'avec sa mère adoptive. Pourtant, Marjolaine voyait, dans cette présence à la garderie, l'obligation pour la fillette de socialiser et de se faire des amis, sans oublier que l'absence momentanée de l'enfant procurait enfin du temps libre à l'écrivaine pour se mettre au travail.

Marjolaine misait sur l'étonnante capacité d'adaptation de Samiha pour régler rapidement le problème. Ne s'était-elle pas facilement habituée à Ivan et à elle-même, sans parler de son acclimatation facile à son nouveau milieu en pays étranger? Néanmoins, pour le moment, c'était la crise presque chaque fois. Seul Rémi arrivait à la consoler en prenant l'initiative de la reconduire lui-même, quand son horaire le lui permettait.

— Quel bon grand frère tu fais, mon grand!

— Rappelle-toi que je suis également le parrain de Justine!

Elle se le rappelait. Comment oublier l'adorable frimousse de sa petite-fille chérie, qu'elle regrettait de ne pas voir plus souvent? Quatorze mois déjà…

Certains jours, délaissant tous ses rôles familiaux et les instances de son travail d'écrivaine, Marjolaine redevenait simplement une femme ordinaire. Elle prenait alors quelques minutes et se laissait aller dans le fauteuil à bascule du salon en se demandant pour quelle raison, grands dieux! elle n'était pas encore devenue folle depuis cette fameuse lettre écrite à un virtuose du piano, quelque trois ans et demi auparavant, message qui avait déclenché un superbe coup de foudre et un grand coup d'envoi qui perduraient.

Alors, elle fermait les yeux et se mettait à sourire.

CHAPITRE 8

— Quelle bonne idée, Ivan !

Le pianiste ne tenait plus en place, d'autant plus que son intention de louer un véhicule récréatif motorisé pour toute la famille, à l'occasion de la fin de semaine de trois jours de la fête de l'Action de grâce, avait fait boule de neige. François et Caroline avaient aussitôt adopté la proposition, et Marjolaine tout autant. Même l'agent de probation de Rémi avait trouvé qu'il s'agissait d'une bonne occasion pour le jeune homme de se rapprocher des siens et de partager un nouveau plaisir avec eux.

— On pourrait aller tous ensemble au mont Tremblant pour admirer les couleurs de l'automne. Je pense même que le télésiège fonctionnera pour monter les touristes au sommet des pentes de ski afin d'y contempler le paysage. Quelle belle activité familiale, n'est-ce pas, Marjolaine ?

— Ivan, je t'aime ! Non seulement tu représentes le plus merveilleux des hommes, le plus tendre des amants, le meilleur des papas et le plus grand pianiste du monde, mais tu es aussi l'être le plus persuasif de la planète, à part moi, bien sûr! Tu devrais faire de la politique, tiens!

— Arrête! Il va me pousser une auréole au-dessus de la tête! C'est toi qui m'as rendu comme ça, ma chère, à tout le moins en ce qui concerne mes rôles d'amant et de père. Quant au musicien, disons que tu sais bien entretenir ses états d'âme. Et je préfère ne pas apporter de commentaire au sujet du plus persuasif de la planète, comme tu dis, parce que… hum, tu me livres une trop grande compétition!

À la vérité, en dépit des multiples embûches et des problèmes épineux éprouvés sur le parcours depuis leurs premiers jours ensemble, et même si les tête-à-tête leur manquaient passablement, les amoureux poursuivaient sans heurts leur lune de miel, rue Durham. Marjolaine avait vraiment trouvé en Ivan l'homme de sa vie et elle ne souhaitait pas autre chose que de le garder éternellement auprès d'elle.

Avec quel tour de force il avait transformé ses jours et effacé les cicatrices causées par l'indifférence d'Alain, et avec quel bonheur il remplissait son existence de conjointe, de mère, de grand-mère et d'écrivaine par sa présence attentive, son partage, sa compréhension et sa solidarité! Si, un jour, les tourtereaux s'étaient unis dans une émouvante quête existentielle, perchés dans les montagnes de Suisse, ils n'avaient jamais cessé de la vivre ensemble dans leur quotidien et dans leurs arts respectifs, ce désir ardent d'un ailleurs au-delà de l'existence simplement humaine. Main dans la main, en dépit des aléas, ils parvenaient toujours à se retrouver sur la même longueur d'onde, le regard tourné vers le même horizon balisant quelque part un univers n'appartenant qu'à eux seuls.

L'énorme véhicule récréatif déniché par Ivan pouvait facilement loger six passagers en plus d'un bébé, et on avait réussi à réserver un large terrain boisé et isolé à l'entrée d'un parc de la région des Laurentides. C'est donc le cœur en fête que la famille Legendre-Danserot-Solveye s'achemina sur l'autoroute 15 en direction nord, en ce vendredi soir d'octobre où le coucher de soleil et les prévisions météorologiques promettaient un temps doux et clément pour les prochains jours.

Marjolaine avait tout prévu, tout préparé. La minuscule armoire et le réfrigérateur aux dimensions réduites du véhicule motorisé débordaient de mille gâteries.

— Pas toujours bonnes pour la santé, avait-elle précisé en jetant un coup d'œil malicieux du côté d'Ivan, constamment obligé de surveiller son poids. Mais après tout, on peut bien faire des p'tites folies des fois dans la vie, hein, mon gros?

Ivan et François ne se le firent pas dire deux fois, au cours du week-end, et ingurgitèrent une quantité astronomique de croustilles et de bières, tandis que Caroline et Marjolaine péchèrent *mortellement* en s'empiffrant des plus délicieux petits gâteaux de la province. Samiha et Justine, elles, avalèrent de nombreux suçons pendant que Rémi, grand amateur de *chips* lui aussi, se désaltéra le gosier avec un nombre incalculable de boissons gazeuses.

On prit les monte-pentes, on parcourut plusieurs sentiers avec Justine bien installée dans le sac à dos de François et la frêle Samiha grimpée sur les épaules d'Ivan, on visita à fond le village touristique et on pénétra dans quelques boutiques pour combler démesurément les enfants de souvenirs. Le pianiste prit mille photos en ne cessant de se pâmer et de lancer des cris d'admiration.

— Quel beau pays j'ai adopté! Ces montagnes, ces teintes chaudes et éclatantes de la forêt, tous ces gens aimables…

En bon Québécois trouvant la saison froide dure et interminable, François ne put s'empêcher d'apporter un bémol plus réaliste.

— Attends de voir les flocons tomber dans les rues de la ville et sur les routes de ton beau pays d'adoption, mon vieux ! Et attends de mesurer la longueur de l'hiver, tu m'en reparleras !

— Je sais, je sais, je suis venu ici en janvier, l'an dernier. Mais cette année, hé ! hé ! les premières neiges vont recouvrir la terre d'un voile blanc comme celui d'une mariée. Le 21 décembre, précisément la date d'arrivée de cette saison-là, la mariée sera encore plus belle que la neige. Sans parler de la venue, quelques jours plus tôt, de la visite d'outre-mer que nous attendons avec impatience. Alors, j'ai hâte aux grands froids, moi !

Les préparatifs du mariage d'Ivan et de Marjolaine allaient bon train. À l'instar de Jean-Claude et de Monique, on s'en tiendrait aux proches et à de rares amis sur la liste d'invités. On ferait cependant les choses en grand et les billets d'avion pour la famille Lesic étaient déjà réservés. Quant au voyage de noces, on avait prévu le vivre dans la ville de Québec pour deux ou trois jours seulement, et uniquement après le jour de l'An. Étant donné la venue des Lesic pour le temps des Fêtes et les obligations professionnelles d'Ivan, les mariés pouvaient difficilement s'offrir un long voyage dans un lieu éloigné dès la fin de décembre. Le pianiste y trouva tout de même une consolation.

— Pas grave, on se reprendra l'été prochain, mon amour. Un récital est prévu à Lausanne en juin. Que dirais-tu de retourner ensuite avec moi cueillir des edelweiss sur les flancs du Gornergrat, dans le beau pays de la Suisse ?

Pour le moment, après deux jours de plaisir à l'apogée de l'automne, la région du mont Tremblant leur suffisait. Le dimanche soir, autour du feu de camp, François proposa d'aller chercher quelques nouvelles brassées de branches mortes aux abords de la forêt afin d'alimenter le brasier et de faire griller des guimauves.

Ivan frissonna.

— Es-tu certain qu'on ne va pas rencontrer un ours, là ? C'est quand même le crépuscule, hein !

— Ici, on appelle ça la brunante. Hé, le pianiste ! Fais pas le pissou ! Les ours, ils ne vont pas te manger, que diable !

— Quoi ! Tu me prends pour un dégonflard ? Allez, ouste, le jeune ! Viens-t'en ! Celui qui saura le mieux se défendre contre la bête méritera une bière de plus !

— Mais non, mais non ! Celui qui rapportera le plus de branches en dépit de l'ours sera le gagnant !

Si François remporta la partie avec son fagot, il refusa la bière de surplus. Ivan, de son côté, ne perdit pas la face.

— Ah, cette jeunesse ! Il faut bien la laisser gagner de temps en temps, hein ? Je me demande quel est le prix de consolation pour le perdant. Tiens, un 7 Up devrait me suffire. Parce qu'en plus, il faut leur donner le bon exemple, à ces jeunes pères-là !

Au grand étonnement de Marjolaine, Samiha réagit très peu devant les premières guimauves dorées. Décidément, elle manquait d'entrain, cette enfant. Pour la millième fois depuis quinze mois, la mère posa une main inquiète sur son petit front trempé de sueur.

— Ça y est ! Elle fait de la fièvre. Ah, Seigneur ! Tu lui as bien donné ses médicaments ce matin, Ivan ?

— Mais oui, tu t'en fais pour rien ! Samiha est fatiguée, tout simplement. On lui en a trop demandé depuis deux jours. Une bonne nuit de sommeil et tout va s'arranger, tu vas voir. On rentre demain, de toute façon.

Les craintes de Marjolaine s'avérèrent cependant fondées. L'enfant fut prise d'une quinte de toux sèche et caverneuse de nombreuses fois au cours de la nuit et se montra tout aussi fiévreuse et sans énergie, le lendemain matin. On décida donc de lever l'ancre très tôt. Même Caroline ne put se retenir de manifester son inquiétude.

— Vous allez me donner des nouvelles dès votre arrivée à l'hôpital, n'est-ce pas, belle-maman ?

— Oui, oui, je t'appellerai après avoir vu le médecin. Désolée d'imposer une finale aussi déprimante et précipitée à une si extra-ordinaire fin de semaine. On va se reprendre, hein ?

Perdu dans ses pensées, Rémi, lui, ne réagissait pas et semblait n'attacher aucune importance à l'état de santé de sa petite sœur. Pour le retour, il se réfugia sur le lit placé à côté de celui où Samiha s'était rendormie, à l'arrière du véhicule. Les mains relevées derrière la nuque, il garda les yeux rivés sur la fenêtre sans prononcer une parole pendant toute la durée du trajet. Par contre, une fois à la maison, au moment précis où Marjolaine et Ivan se préparaient à partir pour l'hôpital, il prit l'enfant dans ses bras et éclata en sanglots.

— Guéris vite, Samiha, je t'en supplie. Si je te perdais, j'en mourrais.

— Votre fille souffre d'une pneumonie double. Nous devons l'hospitaliser immédiatement.

— Est-ce grave, docteur ?

— À cause de sa condition de greffée, euh… je dirais que oui, cela pourrait devenir préoccupant. Mais ne vous inquiétez pas, nous allons y voir. On va vous la remettre sur pied, cette petite demoiselle !

Les paroles des différents néphrologues rencontrés depuis plus d'un an ne cessaient de remonter à la mémoire de Marjolaine. « Les immunosuppresseurs diminuent la résistance de l'enfant et amoindrissent son système de défense, d'où les risques réels d'infections bactériennes ou virales. Mais ne vous en faites pas, on ne perd pas plus de trois pour cent de nos patients, vous savez. Par contre, certains cancers ont tendance à se développer chez les enfants : le cancer de la peau, par exemple, et quelques autres. Et c'est sans compter le rejet possible de la greffe, quoique plus rare après la première année. Par contre, cela se produira plus tard, sans équivoque, madame. » Marjolaine ne tenait plus en place. Et si Samiha faisait partie des trois pour cent perdus à cause d'une infection, hein ?

Malgré tout cela, le jeune médecin en face d'elle en ce moment lui promettait de remettre Samiha sur pied. Quel optimiste, tout de même ! Dire qu'elle se félicitait, l'autre jour, de voir se réaliser dans le concret les miracles évoqués dans son roman à succès. Elle aurait dû y introduire, en plus des sagas de Jean-Claude et de Rémi, un autre miracle, soit celui d'une enfant malade qui guérissait à jamais d'un mal chronique incurable.

Hélas, la réalité s'avérait fort différente, et Samiha devrait prendre durant toute son existence des médicaments dont les effets secondaires entretiendraient les angoisses de sa mère jusqu'à la fin de ses jours. Une guérison définitive ne pouvait tout simplement pas se produire. Pire, la greffe n'aurait qu'une durée de vie limitée. Parce qu'elle avait adopté cette enfant-là, Marjolaine se demanda si elle allait devenir folle chaque fois qu'un problème de santé, si minime soit-il, se présenterait. Bon Dieu de la vie ! Quelle façon d'envisager l'avenir !

Par précaution, on décida de placer la fillette en isolement, en plus de lui injecter une panoplie d'antibiotiques et d'autres médicaments à travers une multitude de tubes. Aussi, avant d'entrer dans sa chambre stérilisée, les parents devaient d'abord pénétrer dans une antichambre pour revêtir une jaquette, mettre un masque et enfiler des gants stériles. Affichant quarante degrés de fièvre et branchée à toutes sortes de machines, Samiha s'en rendait à peine compte, épuisée et trop occupée à retrouver son souffle à chacune de ses respirations. Sans compter ses terribles quintes de toux…

De sa main gantée de plastique, Marjolaine la caressait en lui chantant des airs connus, tout en murmurant intérieurement des prières. Au fond de la chambre, on avait aménagé un lit de camp sur lequel elle passait la nuit. Pendant le jour, quand l'enfant dormait, elle sortait alors sa tablette à écrire. Malheureusement, elle n'arrivait pas à rédiger une seule phrase. Les heures s'étiraient, indéfiniment longues et pénibles. Et vides. Ivan, lui, ne savait plus où donner de la tête, déchiré entre le désir de se trouver constamment à l'hôpital aux côtés de sa fille et de sa bien-aimée, et l'obligation de superviser des élèves qui se préparaient pour un concours international.

— Ne t'en fais pas, mon chéri, je reste là auprès d'elle. Va faire ton boulot à l'université, tes étudiants ont besoin de toi. Toutefois, s'il te plaît, quand tu joueras toi-même du piano, joue pour Samiha. Et promets-moi de commencer chacune de tes pratiques par l'une de tes versions de *Jésus, que ma joie demeure,* tu veux bien ?

— Je t'en fais le serment solennel, Marjolaine.

Peu à peu, les jours s'écoulèrent et ramenèrent des couleurs et même des sourires sur le visage pâle et amaigri de Samiha. Les

choses prenaient enfin une bonne tournure, et tout le personnel de
l'unité semblait s'en réjouir. Petit à petit, les tubes de médicaments
se firent moins nombreux et les plateaux de déjeuners cessèrent de
retourner intacts aux cuisines. Marjolaine n'arrivait pas à y croire :
avant longtemps, elle pourrait tourner la page sur ce cauchemar.
Une autre page du roman d'horreur que constituait l'histoire de
Samiha…

Et puis, non ! À bien y songer, l'horreur n'avait pas été présente
à ce point au rendez-vous. Après tout, sans le rein de son père, la
fillette ne serait peut-être pas vivante, aujourd'hui. Ou elle attendrait encore une greffe, quelque part dans une clinique ou un foyer
d'accueil en France. Le destin lui avait trouvé un nouveau pays et,
dans ce pays, une vraie famille, avec son véritable père biologique,
une tendre mère adoptive, deux grands frères, une adorable petite
cousine dont elle était en réalité la tante, selon les normes de l'appel-
lation familiale. Non… en toute justice, la destinée de Samiha, si
elle ne l'avait pas ménagée durant ses premières années, se devait
de la garder dorénavant heureuse et en santé. Marjolaine se promit
de continuer à y contribuer ardemment et de toutes ses forces.

Deux semaines et demie plus tard, Samiha reçut enfin son congé
de l'hôpital. Pendant qu'Ivan allait porter les valises dans la voiture,
la mère en profita pour se rendre au poste des infirmières en tenant
la fillette par la main, afin de les remercier pour leurs bons services.
Elle se buta alors aux parents d'un enfant d'une chambre voisine. D'une
voix larmoyante, ils s'adressaient à tous les membres du personnel.

— Merci, merci quand même à vous tous. Nous avons apprécié
votre bon travail même si les choses ont mal tourné.

La plus âgée des infirmières répondit au nom de toutes les autres,
en manifestant une sincère compassion.

— Nous avons fait de notre mieux, vous savez, mais parfois, on ne peut empêcher le destin de remporter la victoire. Vous avez toute notre sympathie, chère madame et cher monsieur. Qu'une vie normale reprenne vite son cours chez vous, même sans votre courageux Julien, enfin libéré de ses souffrances. Nous vous le souhaitons de tout cœur. Et nous garderons un bon souvenir de votre adorable petit garçon, soyez-en certains.

En entendant cette conversation, Marjolaine pivota aussitôt sur elle-même et se dirigea à la hâte vers l'ascenseur en retenant son souffle, sachant bien que jamais elle n'oublierait cette scène à laquelle elle venait d'assister. Sans doute Julien faisait-il partie de ces maudits trois pour cent… Vite, déguerpir d'ici au plus sacrant, mettre une croix sur tout ça, reprendre vivement la vie quotidienne !

Heureusement, le retour de Samiha à la maison s'avéra joyeux et lui changea les idées. Tous les campeurs du week-end de l'Action de grâce se trouvaient dans le salon de la rue Durham pour accueillir la jeune convalescente avec des bonbons, du lait au chocolat et quelques fruits. Ivan, lui, s'était procuré pour sa fille un petit clavier électrique dans le but évident de développer chez elle un intérêt pour la musique, sans qu'elle ait à piocher sur le luxueux piano à queue du salon. Il aida l'enfant à déballer l'énorme boîte et ne put résister à l'envie de taper un arpège.

— Sapristi ! Il sonne complètement faux, ce piano-là ! Je vais le retourner au magasin immédiatement.

— Non, non, papa… Je veux le garder, moi !

Marjolaine prit la part de l'enfant.

— Voyons donc, mon chéri ! Tu n'obtiendras jamais des sons beaux et justes avec une telle bébelle ! De toute façon, ça n'a pas tellement d'importance pour le moment, il me semble. Contente-toi de lui apprendre ses notes, voilà tout !

— Non ! Je veux lui former une oreille juste, parfaite même. Penses-y : un jour, quand elle va écrire avec des fautes d'ortho-graphe, tu vas tiquer toi aussi, Marjolaine Danserot. Je m'imagine mal t'entendre affirmer que ces fautes n'ont rien de grave, vu qu'elle comprend la signification des mots. Fausser tout en connaissant le nom des notes m'apparaît tout aussi préoccupant, tu sauras !

Marjolaine décela dans cet excès de zèle l'ambition secrète d'un père de transformer sa fille en musicienne.

— D'accord, d'accord, Ivan Solveye, tu as raison. Mais… bonne chance pour récupérer ton argent avec cet argument-là !

Afin de clore la discussion sur le point de tourner au vinaigre, la mère suggéra que l'on entonne tous ensemble une chanson pour célébrer le retour de Samiha à la maison et lui souhaiter la bienvenue.

— Quelle chanson allons-nous fredonner pour toi, ma petite chouette ?

— *Sur la route de Louv…* euh, non… *Sur la route de Berthier* !

La mère éprouva le sentiment d'avoir gagné sur un point impor-tant : depuis son arrivée ici, la fillette se transformait tranquillement en une véritable petite Québécoise.

Même frêle et fragile, elle y vivrait longtemps, longtemps, longtemps.

CHAPITRE 9

— Marjolaine et Ivan, vous avez maintenant entendu, dans nos dernières lectures, la parole de Dieu sur l'amour qu'Il a semé dans le cœur des hommes et dans le vôtre. Vous sentez-vous toujours prêts à vous promettre mutuellement fidélité et amour pour toute la vie ?

— Oui.

Malgré ses dimensions réduites et les multiples décorations de fleurs suspendues un peu partout, la chapelle portait les voix en écho avec une éloquence pompeuse, conférant à l'événement une atmosphère de solennité et de dignité.

— Le moment est venu de vous engager, si aucun de vous ni aucun membre de votre entourage n'y voient de contrainte ou d'empêchement. Vous pouvez vous tenir par la main.

Sans doute par nervosité, Ivan se racla la gorge par deux fois avant de se lancer, les yeux rivés sur le court texte posé devant lui.

— Marjolaine Danserot, acceptes-tu de devenir ma femme et de m'aimer fidèlement tout au long de notre vie ?

Il leva alors la tête et regarda amoureusement sa future épouse en donnant l'impression de se trouver totalement à sa merci. Marjolaine paraissait plus assurée et elle prononça sa réponse par cœur et d'une voix vibrante, les yeux plongés dans ceux de l'homme de sa vie.

— Oui, je le veux. Et toi, Ivan Solveye, acceptes-tu de devenir mon mari et de m'aimer fidèlement jusqu'à la fin de nos jours ?

— Oui, je le veux.

Le pasteur, un petit homme rondelet d'une soixantaine d'années vêtu d'un simple complet de bonne coupe, poussa un soupir de satisfaction, comme s'il avait pu s'attendre à un autre dénouement.

— Marjolaine et Ivan, je vous déclare officiellement mari et femme devant Dieu et devant les hommes. Que le Seigneur vous bénisse et vous donne la grâce de renforcer votre amour et d'affermir votre union jusque dans l'éternité.

Après l'échange des alliances, Marjolaine et Ivan se regardèrent longuement avant de s'embrasser avec tendresse pendant que l'assistance les applaudissait à tout rompre. Ils signèrent ensuite le registre civil installé à la gauche du sanctuaire, en compagnie de leurs témoins respectifs, Lydia Penkala pour lui et François Legendre pour elle.

Les deux bouquetières s'approchèrent alors des mariés au moment où ils se retournaient. Samiha tendit à Marjolaine, avec grâce et assurance, son magnifique bouquet de roses blanches, tandis que la petite Justine, soutenue par sa mère, laissa échapper par deux fois son œillet blanc avant de réussir à le remettre maladroitement à

Ivan, au grand amusement de tous. L'organiste entonna par la suite la marche nuptiale et, après la cordiale poignée de main des mariés au pasteur afin de le remercier, le groupe quitta gaiement le sanctuaire au son joyeux des cloches.

Manifestement, Ivan tenait plus que Marjolaine à se marier religieusement. Ses parents l'avaient élevé dans la pratique active de la religion et, pendant des années, sa foi avait constitué une bouée, une importante source de consolation dans sa solitude, en plus de lui insuffler des doses essentielles de courage pour se tenir debout à la suite des événements dramatiques de sa jeunesse. Comme il n'existait aucun motif sérieux et réaliste pour annuler le premier mariage de sa dulcinée, selon les normes de l'Église catholique, le pianiste ne s'avoua pas vaincu pour autant et trouva la solution idéale. Il décida qu'une simple bénédiction par un représentant de Dieu dans n'importe quel lieu de culte chrétien lui suffirait. L'adorable petite chapelle évangélique chrétienne, au centre-ville, lui convint parfaitement.

En dépit de ses doutes sur la religion, Marjolaine réalisa qu'Ivan avait raison : le fait de se recueillir et de méditer, ce jour-là en particulier, ajouta encore plus de plénitude et de profondeur à leur engagement solennel qu'ils voyaient comme indéfectible et sacré. Éternel même !

Contrairement aux attentes romantiques du fiancé, en ce soir de décembre où tombait doucement une fine neige, la mariée ne portait pas de voile blanc à son arrivée dans la chapelle. Cependant, les deux bouquetières, elles, étaient vêtues de jolies robes blanches, et Marjolaine leur avait fixé sur le dos de grandes ailes tout aussi blanches. Bien sûr, toutes les personnes présentes les interprétèrent comme des ailes d'ange, mais Ivan et sa femme savaient bien qu'elles avaient la forme d'ailes de papillon et représentaient le symbole de leur union d'amour et, surtout, de la fusion de leurs âmes.

Si on limita la longueur de la liste d'invités, on fit toutefois les choses en grand. En plus de l'organiste invité à jouer des pièces de Jean-Sébastien Bach à la chapelle, un trio de violons se produisit dans le Salon bleu d'un luxueux hôtel de Montréal, sans oublier les quelques duos au piano et à la flûte, préparés par les nièces croates et exécutés pendant la réception en guise de cadeau. Dans une atmosphère fastueuse et festive, on but le meilleur champagne à la lueur des bougies et on dégusta de succulents fruits de mer cuisinés à la mode croate.

Sans trop s'en douter, Rémi offrit à sa mère son plus beau cadeau de noces quand il se présenta à l'église, accompagné d'une demoiselle dont il semblait amoureux. Quelques heures plus tard, après l'ouverture solennelle de la danse par les mariés, il fut le premier à inviter sa mère à esquisser quelques pas de danse sur un air de valse. Marjolaine ne put se retenir de lui taper sur l'épaule.

— Petit cachottier, va! Tu t'étais bien gardé de m'annoncer ta relation avec une jolie princesse, hein?

— Ben… ça fait pas si longtemps…

— Et quelle belle blonde par-dessus le marché! Une étudiante, je suppose?

— Oui, une élève de ma classe. Une fille super!

— Ça se voit! Tu n'as pas idée, Rémi, comme je suis contente de te voir aller. Enfin, te voilà devenu un gars de vingt ans, sage et normal.

— Vingt et un ans dans quelques jours, maman. La maturité…

— Je sais, je sais. La maturité et tes problèmes définitivement relégués au passé. La drogue, c'est fini à jamais, hein, mon grand?

— Tu peux le dire, j'ai eu ma leçon ! Et je ne vous remercierai jamais assez, toi, Ivan et Jean-Claude. Et papa aussi, à sa manière…

— Et comment s'appelle-t-elle, cette demoiselle ?

— Tu ne le croiras pas : elle se nomme Marie-Hélène Dansereau, avec *e-a-u* comme finale au lieu d'un puissant *rot* comme à la fin de ton patronyme !

Nul ne comprit pourquoi la mariée et son fils se mirent à rire aux éclats, au beau milieu de la piste de danse, car Rémi avait prononcé, d'une manière toute québécoise, le mot désignant une éructation !

Souhaits, étreintes, bougies, musique, chants traditionnels, bon vin, bouffe raffinée, réveillon, petites lumières, père Noël, nez rouge, cadeaux, fous rires, neige blanche, joues empourprées par le froid, excursions à la ville et à la campagne, entassement dans la maison et surtout dans les chambres, nuits sans sommeil, feux dans la cheminée, discussions en franco-croate ou en croato-français, on mit le paquet pour rendre ces vacances de Noël joyeuses et inoubliables pour chacun, autant pour les Lesic, arrivés au Québec quelques jours avant la noce, que pour les autres membres de la famille de Marjolaine.

Après le mariage, le clou du temps des Fêtes fut l'annonce, de la part de Caroline et de François, d'une autre naissance pour l'été suivant. Comme ils l'avaient fait deux ans auparavant, ils placèrent au pied de l'arbre illuminé une petite boîte discrète. On chargea Justine d'aller la porter elle-même à sa grand-mère qui, naturellement, ne put retenir une folle exclamation de joie en y découvrant une minuscule paire de chaussettes bleues tricotées à la main.

— Ah ! cette fois, vous avez commandé un garçon, si je ne m'abuse !

François répondit aussitôt, avec l'air de vouloir se péter les bretelles :

— Tu as tout compris et on espère bien ne pas se tromper ! Quand je pense à toi, chère maman, nouvelle mariée et deux fois grand-mère à ton âge, je suis estomaqué. Faut le faire, tout de même !

— Faut le faire ? Oh ! que non, mon grand ! Ne t'attends pas à ce qu'on te fasse un autre frère ou une autre sœur. À nos âges, à Ivan et moi, plus question d'en faire !

Cette réaction déclencha le fou rire général. Quant à Ivan, jamais Marjolaine ne l'avait vu aussi radieux. Il jubilait littéralement, entouré de tous ceux qu'il aimait, autant les siens de Croatie que sa nouvelle famille québécoise. Heureuse période où on relégua dans l'oubli les obligations, les appréhensions sur la santé et tous les problèmes de l'Univers.

Bien entendu, rue Durham, les trois filles Lesic se chargèrent de maintenir le piano de la salle de musique bien actif en s'exécutant à de nombreuses reprises. Chaque fois, Ivan tendait l'oreille, ébahi devant le talent évident de ses nièces, principalement l'aînée, grande passionnée qui n'avait pas oublié de déposer sa flûte traversière dans ses bagages.

— Toi, ma belle, tu vas aller loin, si tu persistes dans cette discipline.

— Oui, mon oncle, il me reste encore une année à l'Academia. Ensuite, je ne sais trop… Comme dit maman, rares sont les musiciens qui gagnent bien leur vie, à moins de devenir une vedette comme toi ou de se faire embaucher par un grand orchestre, chose fort peu courante. Pas certain que je vais y arriver, moi ! Évidemment, il y a aussi l'enseignement… Tout cela m'effraye, je te l'avoue. Je me laisse un an pour y songer plus sérieusement et prendre une décision.

— Je ne te donne que deux conseils, ma chère : continue de travailler ta musique et… inscris-toi à des cours de français.

— Des cours de français ? Pour quelle raison, des cours de français ? Je n'ai pas besoin de ça en Croatie, moi !

— Ça pourrait toujours te servir, sait-on jamais. Et tu serais en mesure de pratiquer cette langue avec ta mère.

Rémi ne comprenait strictement rien aux conversations en croate entre l'oncle et ses nièces, mais il écoutait attentivement, dévorant des yeux la belle Tonia, âgée de dix-huit ans. « Hé ! hé ! se disait Marjolaine, la Marie-Hélène Dansereau, *avec de l'e-a-u*, risquait peut-être de tomber à l'eau si la belle Croate s'installait au Québec. » Cette pensée la fit sourire. Rémi était enfin redevenu un jeune homme normal.

Le lendemain du jour de l'An, à part Caroline préférant ne pas prendre de risques à cause de sa grossesse à peine entamée et son mari François, tous se retrouvèrent sur les pentes enneigées du mont Saint-Sauveur. Ivan loua des équipements de ski pour toute la famille Lesic.

— Il faut que vous essayiez ça au moins une fois dans votre vie !

On n'oublierait jamais cette journée d'amusement, de fous rires… et de muscles endoloris ! C'est à qui descendrait la plus grande distance en diagonale sur la « côte bonbon » pour débutants, avant de dévaler le reste de la pente sur le dos, sur les fesses ou même sur le ventre, en lançant des cris aigus à la fois de joie et de terreur.

Ivan essaya bien d'enseigner à Joseph le peu de technique qu'il connaissait, mais ce dernier n'y comprenait rien, empêtré dans ses grands skis qu'il n'arrivait pas à empêcher d'embarquer l'un sur l'autre. Plus habile, Lydia suivait docilement Marjolaine en travers de la piste à la vitesse folle d'un ou deux kilomètres à l'heure. Sur les conseils de Rémi, pour la plupart incompris, les trois jeunes filles se montrèrent tout de même plus adroites, ou plutôt plus fanfaronnes, et ne mirent pas trop de temps à saisir les principes du chasse-neige, puis du virage et de l'arrêt.

Comme prévu, on retrouva Caroline et François au chalet de ski, en fin de journée, en compagnie de Justine et de Samiha, les joues en feu, car François les avait fait glisser en luge durant tout l'après-midi. Comme il s'agissait du dernier soir des vacances, on s'était promis une fondue bourguignonne dans un resto du village.

Le lendemain, au moment du départ de la famille Lesic pour la Croatie, nulle promesse formelle n'illumina les visages, cette fois. On pleurait d'un côté comme de l'autre et on n'en finissait plus de remercier Ivan et Marjolaine. Seuls des projets vagues de retrouvailles furent prononcés, ainsi que des invitations sincères de la part des Croates. On s'embrassa, on s'envoya la main jusqu'à la dernière seconde, puis chacun se dirigea vers sa vie normale et ordinaire.

Néanmoins, en s'en retournant vers la voiture au fond du stationnement, Marjolaine se dit que cette visite agréable s'était certainement avérée un coup heureux dans l'existence de tous et chacun. Un autre bon coup!

CHAPITRE 10

À partir des vacances de Noël, Rémi imposa régulièrement la présence de Marie-Hélène Dansereau dans le décor de la rue Durham. S'il ne s'en était tenu qu'aux soupers familiaux ou aux après-midi ennuyeux et glacials des fins de semaine d'hiver, passe encore, mais c'était la nuit surtout que la présence de la demoiselle se faisait le plus remarquer.

Marjolaine et Ivan voulaient bien se montrer gentils, compréhensifs et tolérants, mais à deux ou trois reprises par semaine, les soupirs et les cris de jouissance fort retentissants de la belle, même provenant du sous-sol, commençaient à leur taper carrément sur les nerfs. Un bon matin, au lendemain d'une tumultueuse nuit blanche, Marjolaine prit son courage à deux mains avant le départ des deux tourtereaux pour le cégep. Profitant du temps indéfini pendant lequel l'adolescente s'emparait de la salle de bain familiale, la mère fit signe à son fils de s'approcher.

— Dis donc, toi ! Encore une fois, Ivan et moi avons mal dormi, la nuit dernière. Je n'ai rien contre le fait que, euh… que Marie-Hélène et toi profitiez de la vie et ayez du plaisir au lit, mais ne pourriez-vous pas faire un peu moins de bruit ? On vous entend même du deuxième étage. Franchement !

— Ce n'est pas moi, maman, c'est elle qui…

— Je l'apprécie, ta donzelle, mais elle pourrait se faire plus discrète, non ? Ou tu pourrais aller coucher chez elle de temps à autre, il me semble, et nous laisser récupérer un peu. On n'a plus vingt ans, nous, et on a besoin de repos !

— Ah ! ça, il faudrait demander la permission à mon agent de libération. J'ai pas le droit de découcher, maman, tu le sais.

— C'est vrai, je l'avais oublié, celui-là ! Donc, si je comprends bien, on n'a pas le choix d'endurer votre vacarme nocturne. En tout cas, tu possèdes un réel talent de mâle, mon gars ! Que dirais-tu de le réclamer à ton agent, ce fameux droit de ne pas rentrer un soir ou deux par semaine pourvu qu'il connaisse l'adresse où tu vas ?

— Je pourrais toujours lui demander la permission, sauf que…

— Sauf que quoi, Rémi ?

— Pas sûr que le père et la mère de Marie-Hélène accepteraient de me voir dormir chez eux. Pas dans le lit de leur fille, en tout cas ! Et on n'a pas d'autre place où aller.

— Ah bon ? Marie-Hélène peut coucher avec les gars, mais seulement en dehors de chez elle, à ce que je vois. Bons parents…

— Selon eux, leur fille ne doit pas avoir de relations sexuelles avec les gars avant sa majorité et encore moins avec un ex-détenu comme moi. Oh là là, non ! Ses vieux sont très stricts et sévères, crois-moi, et ils savent rien de ses… de nos… petites péripéties. À cause de son rôle d'aînée, ma blonde se doit de montrer l'exemple à ses frères et sœurs, paraît-il. Alors, quand elle vient ici, ses parents la croient chez sa meilleure amie. Nous devons user de prudence, tu comprends.

— Oui, je comprends que tu es encore en train de t'embarquer dans une belle série de menteries pour lesquelles nous sommes devenus complices sans le savoir, mon fils. Elle prend la pilule, au moins ?

— Ben oui, inquiète-toi pas pour ça, m'man !

La sortie impromptue hors de la salle de toilettes de Marie-Hélène, pomponnée, parfumée et maquillée, vint interrompre la conversation. Au regard noir qu'elle lança à Marjolaine, celle-ci devina que l'adolescente avait tout entendu.

Le ton des « Au revoir » et « Bonne journée » ne s'avéra pas des plus chaleureux, ce matin-là. Tout cela ne fut pas sans rappeler à Marjolaine les origines obscures de Samiha, fille d'une adolescente tunisienne immigrée en France avec ses parents. Sans doute la jeune écervelée prenait-elle, à l'instar de Marie-Hélène, un plaisir fou au lit avec n'importe quel représentant de la gent masculine. Et cela, sans se protéger…

Marjolaine ne pourrait jamais oublier son nom. Sarah, Sarah Shebel, qu'elle et Ivan avaient cru morte et qui ne l'était pas, semblait-il. Irresponsable et audacieuse, pour ça, oui ! Incapable de s'occuper de son enfant, mais assez téméraire pour pousser l'impudence jusqu'à se faire passer pour morte et prendre la place de sa sœur suicidée. Non seulement Sarah vivait toujours, mais elle vivait sous un faux nom. Quelle horreur et quelle folie !

Marjolaine souhaita de tout cœur ne jamais voir apparaître cette Sarah Feriel dans leur existence. Dieu merci, au fond du premier tiroir du bureau d'Ivan reposait une grande enveloppe beige contenant les actes de naissance des deux jumelles Shebel. Rien de grave ne risquait donc de survenir à cause d'elle, ces documents pourraient toujours servir à prouver hors de tout doute son changement d'identité.

Advenant le cas où la jumelle rebondirait au Canada en réclamant la garde de son enfant, Marjolaine et son mari n'auraient qu'à la menacer de révéler aux autorités judiciaires l'épouvantable subterfuge auquel elle s'était livrée, ces derniers temps, pour échapper à la justice française. La chipie s'enfuirait sans contredit, et en courant ! Après tout, Feriel n'était pas Feriel, mais bien Sarah, celle que la police recherchait en France. On pourrait, de plus, l'accuser d'imposture en raison de son changement d'identité. D'ailleurs, ces preuves identitaires, Marjolaine et Ivan les tenaient de sa mère, madame Shebel elle-même.

Si, au contraire, la Sarah usait de son vrai nom, rien ne pourrait alors l'excuser de s'être fait passer pour morte et d'avoir abandonné son enfant avant même ses deux ans, et ce, pendant des années. Il lui serait donc impossible de revendiquer son droit de mère pour réintégrer une place dans l'existence de Samiha et sans doute la traumatiser inutilement, même de loin.

En ce petit matin venteux, une fois la maison vidée de tout son monde, Marjolaine poussa un long soupir de soulagement. Enfin, le silence ! Elle allait pouvoir se replonger dans son manuscrit et y travailler en paix après avoir tout remis en ordre. Elle monta d'abord à l'étage afin de ranger sa chambre. Sans trop s'expliquer pour quelle raison, l'idée lui vint de lire de nouveau ces attestations d'identité des jumelles tunisiennes.

Quoi ! Elle faillit lancer un cri de stupeur en découvrant que les papiers ne se trouvaient plus dans l'enveloppe. Ni là ni ailleurs dans la maison qu'elle fouilla de fond en comble.

Après deux heures de recherches, elle téléphona d'abord à l'université pour questionner Ivan. Le professeur Solveye donnait des cours durant tout l'avant-midi et on ne pouvait le déranger « à moins d'une urgence, madame ». Marjolaine raccrocha rageusement le combiné sans faire de commentaire. Y avait-il une urgence ? Elle le craignait, à juste raison. Qui sait si, en dépit de la distance, la fameuse Sarah Feriel n'avait pas rebondi à son insu et fait chanter Ivan sans qu'il l'avoue à sa femme ? Durant les premières années de vie de Samiha, la jeune mère ne l'avait-elle pas menacé de ruiner sa réputation dans les médias s'il ne lui remettait pas chaque mois un certain montant d'argent ? Et Ivan ne lui en avait rien dit. Pourquoi pas maintenant ?

C'est une Marjolaine en rogne qui attendit son compagnon avec une brique et un fanal. Ah ! ça ne se passerait pas comme ça ! Les mardis, à moins d'une exception, il rentrait pour le dîner, profitant de son après-midi libre pour travailler son répertoire personnel sur le piano de la maison, sous l'oreille attentive et critique de sa tendre moitié. Cette fois, elle allait lui parler dans le nez et l'obliger à mettre les choses au clair, ce cachottier !

C'est pourtant un homme souriant et affamé qui se présenta rue Durham, ce midi-là. Aucune odeur de cuisson n'émanait à l'entrée de la maison, rien ne mijotait sur la cuisinière, aucun couvert n'avait été dressé sur la table. L'homme découvrit sa femme enfoncée dans un fauteuil du salon, les bras croisés et les lèvres pincées.

— Marjolaine ? As-tu oublié que je venais dîner ? Te sens-tu malade, dis donc ? Ou bien as-tu reçu une mauvaise nouvelle ?

— Oui, il y en a une, une mauvaise nouvelle, et c'est toi qui vas me l'expliquer, mon cher.

— Que se passe-t-il, pour l'amour du ciel ?

— Les papiers d'identité des jumelles Shebel ont disparu de ton tiroir. J'ai trouvé l'enveloppe vide. Comme toi et moi sommes les seuls à connaître l'existence de ces documents, je suppose que tu dois savoir où ils se cachent. À moins que tu ne saches également où se terre la mère de ta fille…

— Ah! c'est seulement ça… Tu t'en fais pour rien, Marjolaine. Rien de grave ne s'est produit, absolument rien. J'ai bêtement cherché, l'automne dernier, à vérifier l'authenticité de ces papiers auprès de l'ambassade de Tunisie. J'ai photocopié les deux pages et les ai remises tout d'abord au consulat de Montréal. On m'a informé que ce serait long et ardu. J'ai donc profité de ma classe de maître donnée à Gatineau le mois dernier pour présenter ma demande à l'ambassade d'Ottawa. J'ai ensuite décidé de ranger les originaux bien en sécurité dans le coffret de ma banque plutôt que de les laisser traîner dans mon bureau, rien de plus.

— Tu aurais pu m'en informer! Et alors, as-tu reçu une réponse de l'ambassade?

— On m'a répondu qu'en général, ce genre de formulaire n'existait pas en Tunisie. On n'a pas coutume de mettre les empreintes des bébés sur leur acte de naissance, paraît-il. Il s'agirait donc de fausses preuves d'identité.

— Quoi! Et tu ne m'as rien raconté de tout ça!

— Je ne voulais pas t'inquiéter inutilement, Marjolaine. Je connais ton potentiel d'énervement. Mais cela ne m'a pas empêché de poursuivre certaines recherches.

— Comment cela?

— J'ai payé un enquêteur pour investiguer sur la famille Shebel. Je t'annonce que Sarah semble ne pas avoir eu de sœur jumelle. À moins que les deux filles ne soient nées quelque part dans le désert de Tunisie et que leur naissance n'ait jamais été enregistrée. Il paraît donc presque certain, je dis bien *presque* certain, que la grand-mère nous a royalement trompés, à Fontainebleau, avec son histoire. Curieusement, j'en ai eu l'intuition dès les premiers moments de notre rencontre. Cette femme, avec sa face de sorcière, est une fieffée menteuse.

— Ça alors! Je n'en reviens pas! Et la fameuse Sarah, la vraie, sais-tu ce qu'elle est devenue?

— Aucune idée. Toujours citoyenne française, et son nom ne se trouve ni sur la liste des personnes décédées, ni sur la liste des personnes recherchées par la police, comme nous l'avait annoncé sa mère. Ou bien cette madame Shebel est devenue folle et fabule tout simplement, ou bien elle a voulu se venger en nous racontant une histoire abracadabrante dans le but de nous tourmenter parce qu'on lui a ravi sa petite-fille. Elle nous a bien eus! Ne t'en fais pas, je ne vois pas anguille sous roche au sujet de cette affaire, même si un doute demeure.

Blottie dans les bras de son homme, Marjolaine avait l'impression de flotter dans le vide, au-dessus d'un espace formé d'inconnu, d'inexplicable et d'étrange. Que signifiait cette bizarre histoire? Pourquoi ces mensonges, ce scénario monté de toutes pièces par la grand-mère?

Pendant les deux premières années de vie de Samiha, Ivan avait envoyé une pension à Sarah un peu par charité mais surtout à cause d'un honteux chantage. Puis, après la prétendue mort de la jeune femme et après vérification génétique de sa paternité, le pianiste avait honnêtement assumé les coûts de gardiennage de Samiha par les grands-parents. Par la suite, il avait payé les soins hospitaliers de l'enfant avec ses propres assurances, puis il lui avait donné l'un de ses reins… Que pouvaient vouloir de plus cette femme folle et son écervelée de fille?

C'en était assez! Samiha avait maintenant cinq ans, elle avait recouvré la santé et elle grandissait enfin dans la sérénité et la stabilité. Elle et ses parents avaient le droit de vivre en paix et sans heurts une vie familiale saine et heureuse. Madame Shebel pouvait aller au diable avec ses machinations. Il s'agissait d'une histoire bel et bien terminée. Finie! Ivan Solveye avait payé assez cher son vil plaisir charnel de quelques soirs avec une racoleuse de dix-sept ans, sur les quais de Paris. La vilaine et sa mère n'allaient pas continuer à lui empoisonner l'existence, ni de loin ni de près, oh! que non!

Instinctivement, le regard des amoureux restait rivé vers la fenêtre où le nordet, annonciateur de tempête, secouait avec rage les branches du grand érable. Ivan fut le premier à revenir à la réalité.

— Tout cela n'a aucune importance, Marjolaine. On ne va pas se gâcher la vie avec cette histoire farfelue et complètement terminée. De toute manière, Sarah Shebel n'a plus maintenant de pouvoir sur Samiha ni sur nous, et sa mère non plus. Nos papiers d'adoption sont en règle et beaucoup de temps s'est écoulé. Alors…

— Tu as parfaitement raison, Ivan, conclut Marjolaine, avec l'impression de se délester enfin d'une tonne d'anxiété.

— Dis donc, je crève de faim, moi! Que dirais-tu d'aller prendre une bouchée dans un restaurant du quartier en attendant le retour de la garderie de notre Samiha nationale?

— Je répondrais non, mon chéri. Le mauvais temps s'en vient et… ne préférerais-tu pas prendre un apéro bien au chaud avec moi et déguster le pot-au-feu déjà préparé qu'il ne reste qu'à réchauffer après m'avoir… euh… amoureusement consolée?

Le baiser mouillé qu'elle déposa dans le cou du pianiste fut sans équivoque, et Ivan ne se le fit pas répéter deux fois. Il versa aussitôt deux verres de vermouth sur glace pendant que Marjolaine plaçait allègrement sa casserole sur un feu doux. Puis, serrés l'un contre l'autre, ils s'installèrent sur le grand canapé du salon en se dévorant des yeux. Ils firent l'amour, rivés l'un dans l'autre comme s'ils ne formaient qu'une seule entité. «Un seul être pour lutter contre n'importe quel assaut de l'existence», pensa Marjolaine. Son mari avait raison, rien au monde ne devait assombrir leurs jours. Rien.

C'est à cet instant précis que la sonnerie stridente du téléphone vint interrompre ce moment béni. À regret, Marjolaine étira le bras pour s'emparer du combiné. L'afficheur indiquait un appel interurbain. À l'autre bout du fil, elle n'entendit d'abord que des pleurs et des gémissements tonitruants. Quand la femme à l'autre bout du fil commença à crier des paroles incompréhensibles dans une langue étrangère, Marjolaine, croyant reconnaître la voix de sa belle-sœur Lydia, tendit aussitôt l'appareil à Ivan.

— Quoi! s'écria Ivan, l'air catastrophé.

Par la fenêtre, on pouvait voir tourbillonner les premiers flocons de ce qui allait devenir la plus grosse tempête de l'hiver.

CHAPITRE 11

Jésus, que ma joie demeure ♪... Marjolaine n'en pouvait plus d'entendre les versions pourtant si réconfortantes de la cantate de Bach sans cesse jouées sur le piano du salon. Depuis l'appel de Tonia, dès qu'il mettait les pieds dans la maison, Ivan se contentait de l'embrasser distraitement sur la joue après s'être débarrassé de son manteau, puis il se dirigeait automatiquement vers le studio sans prononcer une parole. Là, il se mettait à jouer et à rejouer encore et encore cette musique qui lui avait sauvé la vie autrefois. Même avant de partir pour l'université, le matin, il y consacrait quelques minutes, comme s'il cherchait désespérément une bouée de sauvetage à laquelle s'agripper, perdu dans les profondeurs abyssales d'un chagrin toujours présent dans lequel il risquait de se noyer.

À travers ce chant d'espoir, sans doute se vidait-il de son impuissance à réagir positivement à l'épreuve et espérait-il, de cette façon, apercevoir la lumière au bout du tunnel. Le grand pianiste

---

♪ Pour entendre les deux versions de ce morceau, visitez le www.quebec-amerique. com/coupsurcoup et sélectionnez les extraits musicaux nᵒˢ 1 et 2 : *Jesus bleibet meine Freude, BWV 147*, de Bach.

réputé était redevenu le jeune homme désespéré d'à peine vingt ans, enfermé dans la noirceur d'un sous-sol de Dubrovnik, s'efforçant de trouver, comme une obsession, son salut dans une simple partition de musique de quelques pages. Le glorieux musicien déguisé en Mozart qui avait tant séduit Marjolaine, interprétant brillamment un concerto à la lueur des chandelles devant un auditoire gagné d'avance dans un palais de Salzbourg, n'existait plus.

Pour la première fois depuis qu'elle vivait avec lui, Marjolaine se sentait démunie, incapable de regonfler le moral de son homme. Elle avait beau multiplier ses gentillesses, lui répéter que la vie continuait, qu'elle était là pour lui et qu'elle l'aimait toujours, rien n'y faisait. Ivan avait la mort dans l'âme et jamais elle ne l'avait vu aussi révolté. Depuis quinze jours, une colère froide et refoulée grondait en lui, et il n'arrivait pas à l'évacuer, elle le voyait bien. Une colère prête à exploser, une colère grondante, empoisonnée et pourtant tellement légitime…

Deux semaines auparavant, sa sœur Lydia avait perdu son mari et son adolescente Ela, la deuxième de ses filles, la plus talentueuse des trois au piano. Un chauffard ivre avait happé mortellement le père et la fille alors qu'ils marchaient vers l'église afin d'y organiser un concert avec les dirigeants de la paroisse. Devant sa mère évanouie de douleur, dépassée par l'événement, Tonia, l'aînée, avait aussitôt appelé au Canada en catastrophe pour réclamer le secours et l'aide de son oncle.

Ivan n'avait pas hésité une seconde et avait pris le premier avion en direction de la Croatie. Marjolaine n'avait pu l'accompagner, un important rendez-vous pour Samiha à l'Hôpital Sainte-Justine et un contrat signé depuis des mois pour une rencontre d'auteure dans une bibliothèque de la banlieue la retenant au pays. De son côté, à cause de ses obligations professionnelles, le pianiste n'avait pu rester là-bas que quelques jours, le temps d'organiser avec sa sœur, éplorée et incapable de réagir, les funérailles de Joseph et d'Ela et de les enterrer dans le cimetière chrétien de Dubrovnik, après une brève cérémonie religieuse.

C'est un homme complètement dévasté que Marjolaine avait retrouvé à l'aéroport, la semaine suivante.

— Ce fut affreux, tu sais, Marjolaine. Non seulement Lydia, au cours de sa jeunesse, s'est fait cruellement arracher ceux qu'elle aimait tout comme moi, mais quelque vingt-cinq années plus tard, la mort vient encore une fois, en sournoise, lui prendre dramatiquement son mari et une de ses filles. Ma pauvre sœur ne s'en remettra jamais, cette fois, j'en ai bien peur. Trop, c'est trop! Peux-tu imaginer plus affreuse injustice? Il y a des limites à ce qu'un être humain peut supporter. Et que dire de la jeune Ela? Mourir à quinze ans à cause d'un fou. Rien que d'y penser, cela m'horripile. Comment et pourquoi la vie se montre-t-elle si dure, parfois?

— Pense, mon chéri, que là où ils sont rendus, ton beau-frère et ta nièce reposent sans doute en paix. Malheureusement, je ne trouve pas de paroles plus réconfortantes.

— J'aimerais tant y croire sans l'ombre d'un doute, mais... je n'en vois pas l'évidence! Et j'aurais préféré qu'ils continuent de vivre la paix ici-bas, si tu veux savoir! Personne n'est jamais revenu nous décrire comment ça se passe « de l'autre bord », hein? Sais-tu ce qu'elle était en train d'apprendre au piano, la chère petite Ela? La *Toccate et fugue en ré mineur*♪ de Bach. Je n'en reviens pas encore! Comme si elle avait eu une prémonition...

— Une prémonition? Que veux-tu insinuer par là?

♪   Pour entendre ce morceau, visitez le www.quebec-amerique.com/coupsurcoup et sélectionnez l'extrait musical n° 22 : *Toccate et fugue en ré mineur, BWV 565*, de Jean-Sébastien Bach.

— Je n'ai jamais réussi à jouer cette composition de façon potable, Marjolaine. Je la trouve trop intense et trop tragique. Trop lugubre, tiens ! Ces notes me remuent sans bon sens, elles me donnent envie de me faire tout petit et de pleurer, ou au contraire, de crier et de taper sur le clavier de toutes mes forces. Infailliblement, autant l'euphorie que l'angoisse qui s'en dégagent me ramènent à ces moments effroyables où ma famille a éclaté, où j'ai perdu non seulement mon père, ma mère et ma sœur, mais aussi le droit de vivre moi-même à l'air libre dans mon propre pays.

— L'euphorie qui s'en dégage, dis-tu ?

— Oui, en l'écoutant, cette musique arrive parfois à me conduire jusqu'à Dieu. Impossible qu'il n'existe pas quelque part, Celui-là ! Mais où, hein ? Mais où ? Comment savoir si, assise au piano, Ela ne sentait pas un signe ou un appel de son terrible destin en travaillant cette toccate ? Elle avait insisté auprès de son professeur pour l'apprendre, m'a raconté Lydia. Une prémonition, je te jure ! Ah oui, tu n'as pas idée à quel point je ressens dans ces airs l'horreur de la mort en même temps que sa grandeur. Je n'arrive pas à croire qu'Ela jouait cela précisément le matin où elle a plongé dans l'abîme. Quelle abomination !

— Il s'agit d'une coïncidence, voyons !

— Pas du tout ! Je vois là indéniablement un pressentiment, une anticipation instinctive. Nous ne sommes rien devant la mort, Marjolaine. Rien. Hélas, au bout du compte, elle finit toujours par remporter la victoire, la mort, et à s'emparer de l'humain pour le dévorer, qu'il s'agisse d'un bébé de quelques mois ou d'un vieillard de quatre-vingt-dix-neuf ans.

— Mais ta sœur n'a pas tout perdu, Ivan. Il lui reste tout de même deux filles, donc deux bonnes raisons de vivre.

— Tout cela me ramène à ma petite Samiha. Avec toutes ses maladies, je ne cesse de me demander quand cette méchante vorace va s'emparer de notre enfant. Ça ne te fait pas peur, toi ?

— Oui, la mort se saisira un jour de Samiha, Ivan. Un jour, comme nous tous, elle va mourir, mais elle aura alors quatre-vingt-dix-neuf ans et nous ne serons même plus là pour la pleurer. Il faut y croire, mon amour. N'est-ce pas se détruire et mourir un peu chaque jour que de vivre constamment dans la peur d'en finir trop rapidement ? Tu dois faire confiance au destin, mon chéri.

— Ouais… Regarde la belle surprise qu'il a ménagée à ma sœur, ton cher destin !

— Ivan, mon amour, oublie toute cette histoire de *Toccate et fugue* et reviens à la réalité, de grâce ! De toute manière, Jean-Sébastien Bach n'a probablement pas composé cette pièce pour évoquer la mort. Au contraire. Tout est question d'interprétation, tu le sais encore mieux que moi.

— Que veux-tu… La partition, découverte sur le piano d'Ela quand j'y suis allé, m'a amené à cette horrible conclusion. Ces changements soudains de rythme, ce chromatisme en demi-tons, ces passages en douceur brutalement interrompus par des hausses imprévues du ton et de l'intensité… Une œuvre géniale, à bien y penser, à la fois magistrale et navrante. Moi, je n'arrive pas à la jouer, ça me bouleverse trop.

— Cesse donc de te torturer avec toutes ces sombres idées. Une seule solution existe, selon moi, à ta confusion : tu dois éviter autant que possible les situations susceptibles de te déprimer. Profite plutôt de l'existence pendant que tu es encore là, en forme et en santé. Tu feras face aux épreuves quand elles se présenteront, si jamais elles se présenteront, pas avant.

— Facile à dire ! Va conseiller ça à Lydia, qui se retrouve doré-navant dans sa maisonnette, toute seule au monde avec deux enfants, sans chèque de pension ni prime d'assurance, obligée de défrayer le loyer, de subvenir aux besoins de ses filles et de payer leurs études avec son maigre salaire d'enseignante. Elle va devoir prendre la vie un jour à la fois, en effet, mais certainement pas de la manière dont tu l'entends. Encore beau si elles peuvent s'offrir de la bouffe tous les jours, ces trois-là ! L'existence à Dubrovnik n'est pas celle de Montréal… Tu as vu dans quelles conditions la famille vivotait déjà, même en additionnant le salaire de Joseph à celui de sa femme. En plus de l'absence et du silence insupportables, la mort traîne derrière elle un faisceau de misère, de dénuement et de malé-diction. Je vais essayer de les soutenir et de leur envoyer des sous, mais cela ne réglera pas tout, évidemment.

Devant l'intensité du drame, Marjolaine se taisait, ébranlée. Autant les problèmes de sa belle-sœur à l'autre bout du monde la désolaient, autant elle se voyait déroutée par le désarroi dont Ivan n'arrivait pas à se remettre. Elle ne le reconnaissait plus, lui habituel-lement si souriant et plein d'entrain. Il ne mangeait plus, ne dormait plus, s'isolait souvent pour pleurer et tapait *ad nauseam* sur le piano chacune de ses versions de la cantate de Bach, *Jésus, que ma joie demeure*. Encore fallait-il qu'elle revienne, cette joie de vivre qui animait son homme, qu'il la réinvente, qu'il la recrée pour qu'elle demeure enfin…

Désespérément, Marjolaine cherchait une voie d'échappement, une solution qui ne venait pas. Elle avait beau lui fricoter ses mets favoris, l'emmener au théâtre et au music-hall, organiser une sortie avec Jean-Claude et Monique dans un restaurant portugais à la mode, rien n'y faisait. Même la journée de ski proposée par Rémi et François, une « journée de gars » pour lui changer les idées, alluma à peine quelques sourires de plaisir sur le visage défait de leur beau-père au moral résolument défaillant.

Quelques semaines plus tard, un jour qu'elle errait sans but dans les boutiques d'un centre commercial, histoire de se distraire, Marjolaine entra par hasard dans un magasin d'instruments de musique. Depuis un certain temps, elle avait entrepris d'enseigner, sur le grand piano à queue, quelques rudiments de musique à Samiha, sans en informer Ivan. Elle avait même réussi à convaincre l'enfant de garder le secret et de ne pas toucher à l'instrument quand son père se trouvait à la maison afin de lui ménager une surprise hors pair pour son anniversaire, au printemps qui se pointerait bientôt. À ce moment-là, sans le prévenir, elle installerait l'enfant devant le clavier, et la fillette jouerait une petite pièce en guise de cadeau pour son papa chéri. Elle imaginait Ivan s'exclamer de joie et essuyer une larme en reniflant, n'en croyant pas ses oreilles.

Furetant dans la section des partitions pour débutants, un livre de duos retint tout à coup son attention. Avec un peu de pratique, Samiha arriverait sûrement à exécuter certaines de ces pièces d'à peine quelques lignes et apparemment très faciles. Soudain, une idée mirobolante lui vint à l'esprit. Et si Samiha offrait à l'avance son cadeau de fête à son père ?

Cela le détournerait de ses problèmes et lui remonterait le moral, à ce malheureux Ivan. En plus de raviver sa fierté paternelle, entendre sa fille jouer du piano raffermirait vraisemblablement son espoir d'une guérison définitive pour elle et, pourquoi pas ? allumerait le rêve de la voir devenir un jour musicienne à son tour. Peut-être regarderait-il l'avenir de façon plus positive ? Bien sûr, cela ne changerait rien aux problèmes de Lydia qui le tourmentaient tant, mais au moins, ici, au Québec, dans son propre quotidien, Ivan en viendrait peut-être à se reconnecter avec la réalité. Une réalité plutôt douce, quand même, à bien y songer.

Aussitôt dit, aussitôt fait ! La mère et la fille travaillèrent d'arrache-pied sur l'instrument aussitôt qu'un moment libre se présentait. Elles s'y mettaient dès l'arrivée de la fillette après l'école, avant le retour d'Ivan. Au cours de la fin de semaine suivante, elles profitèrent de l'éloignement du pianiste, invité à un concert à Philadelphie, pour intensifier leurs pratiques.

Marjolaine ne se trompait pas : Samiha avait hérité des gènes familiaux pour la musique. D'elle-même, la fillette venait chercher sa mère adoptive et la tirait par la main vers l'instrument pour une heure d'exercices dont elle ne se lassait pas. La grande exécutait l'accompagnement du côté *secundo*, situé à gauche du cahier, alors que la petite jouait allègrement la mélodie inscrite dans la section *primo*, sur la page de droite. Étonnamment, malgré son inexpérience, Samiha arrivait à mesurer et à maintenir rigoureusement le rythme, langue pincée entre les dents, petits doigts bien ronds sur les touches et yeux rivés sur les notes. La mère et la fille en vinrent à maîtriser parfaitement l'interprétation et à pouvoir accélérer la cadence selon les exigences du caractère allegro du mouvement.

Une dizaine de jours plus tard, on profita d'un souper de famille, un dimanche soir, pour offrir le fameux cadeau à Ivan. François, Caroline et Rémi étaient de connivence : ça se passerait au moment de l'apéritif, que l'on prendrait dans la salle de musique. Ce jour-là, le pianiste se montrait particulièrement déprimé, ayant reçu des mauvaises nouvelles de sa sœur par téléphone, au cours de l'après-midi. Lydia se trouvait dans l'obligation de mettre sa maison en vente dans le but de payer ses dettes et de se rapprocher davantage du centre-ville, ce qui réduirait les dépenses de transport pour son travail et celui de Tonia.

Ivan avait lancé un cri de protestation en apprenant que sa nièce allait abandonner non seulement le collège, mais également ses cours de flûte, et travaillerait dorénavant comme serveuse dans un restaurant. Lydia avait juré sur tous les dieux à son frère qu'il s'agissait d'un arrêt temporaire pour renflouer les coffres et que la vie normale reprendrait l'automne suivant, pour toutes les trois. Anika, toujours au primaire, n'aurait qu'à changer d'école, et Tonia pouvait très bien continuer de travailler sa flûte par elle-même en attendant de retourner à l'Academia. Avant de raccrocher, Ivan lui avait promis de passer à la banque dès le lendemain matin, pour lui envoyer de l'argent. « Au moins pour que les cours de flûte de Tonia ne soient pas interrompus », avait-il précisé.

— Une Corona ou un Martini, monsieur le pianiste ?

Rémi s'était fait un plaisir de se convertir en garçon de bar pour servir l'apéro, cabaret sur la main et serviette autour du bras, lui qui, en raison de la probation, n'avait pas le droit de prendre une goutte d'alcool. À la vérité, il se pliait volontiers au règlement et se contentait de boissons gazeuses, suscitant l'admiration de tous et, surtout, l'approbation de sa mère.

— Non, merci Rémi, je ne prendrai rien. Pas envie de rien, à vrai dire.

Assis dans un recoin près de la fenêtre, Ivan, plongé dans ses pensées noires, semblait bien déterminé à y demeurer pour le reste de la soirée.

François décida de réagir.

— Dis donc, l'artiste, tu ne vas pas me laisser boire tout seul, quand même ? Rémi ne prend rien, Caroline non plus, vu sa grossesse, et même maman a refusé son traditionnel verre de rosé en le remettant à plus tard, va savoir pourquoi !

— D'accord, si tu me tords le bras, je vais y aller pour une bière.

Quelques minutes plus tard, Marjolaine s'approcha doucement d'Ivan en tenant Samiha par la main.

— Mon chéri, ta fille aimerait t'offrir un petit cadeau, une chose à laquelle tu ne t'attends pas, je crois, et qui devrait te faire plaisir. S'il te plaît, viens t'asseoir sur le banc du piano.

— Comment ça? Je me sens à l'aise, moi, dans ce fauteuil. Je t'en prie, Marjolaine, je n'ai surtout pas envie de jouer du piano ce soir, moi! Si Samiha veut me chanter une chanson, elle pourrait le faire sans que je l'accompagne, non?

— S'il te plaît, Ivan, viens et ne pose pas de question.

Devant le sourire mystérieux de Samiha, il s'exécuta finalement avec un air interrogateur. Il découvrit alors avec stupéfaction le cahier de musique que la petite tenait sous son bras. Elle vint s'installer sur le banc, à la droite de son père, s'étira pour arriver à poser le livre sur le lutrin et l'ouvrir à la page 23.

— Un cahier de duos? Ne me dis pas que tu vas interpréter un duo avec maman!

— Non, papa, je veux le faire avec toi.

— Quoi! Tu sais jouer du piano, toi? Oh! mon Dieu...

— Mais oui, je suis capable! Alors, papa, écoute-moi bien, je vais t'expliquer comment ça fonctionne. Je vais compter 1-2-3, 1-2-3, 1-2-3 sans arrêt, d'un bout à l'autre du morceau. Au début, tu ne fais rien et tu comptes avec moi dans ta tête. Tu comprends? 1-2-3 et hop! en disant le premier 3, je vais appuyer sur la toute première note de la pièce. Toi, tu attends et tu commences les notes de ta page sur le 1 qui vient tout de suite après : 1-2-3, 1 et hop! tu pars sur ce 1. On continue alors à jouer tous les deux ensemble et en même temps, d'accord? As-tu bien compris, papa? Tu vas voir comme c'est facile et comme c'est beau, surtout.

Trop bouleversé pour répondre, Ivan se contenta d'un signe de tête. Pour la première fois depuis qu'elle le connaissait, Marjolaine vit les mains du grand virtuose du piano, Ivan Solveye, trembler d'émotion sur le clavier. Quelques instants plus tard, la mélodie s'envola, joyeuse et parfaite.

La pièce s'intitulait : *Les papillons*.

CHAPITRE 12

La surprise de Samiha offerte à son père produisit l'effet escompté. À partir de ce jour précis, Marjolaine vit Ivan revenir à la vie et se reconnecter avec la réalité. Avec un grand soulagement, elle retrouva l'homme enjoué, affable et épanoui qu'elle aimait tant. Enfin il rentrait de l'université avec des choses à lui raconter, enfin il appréciait ses petits plats, enfin il lui proposait des activités, enfin il s'intéressait à ses écrits, enfin il avait recommencé à lui faire l'amour avec passion ! Enfin, enfin…

Durant ses temps libres, Ivan s'assoyait à l'instrument avec sa fille. En quelques semaines, ils passèrent de la première à la dernière page du cahier de duos, et Samiha savait jouer autant les thèmes mélodiques que les accompagnements. Il n'en revenait pas de son intérêt et de sa facilité à apprendre, de sa musicalité remarquable surtout et de son grand plaisir de s'installer à côté de son « p'tit papa d'amour » sur le banc du piano. Réflexion faite, l'existence normale reprenait peu à peu ses droits. La vie, la vraie vie continuait… Il était temps !

Un jour, Ivan apporta un nouveau cahier rempli, cette fois, de pièces à exécuter en solo. La fillette fit la moue, se croisa les bras et protesta avec véhémence.

— Moi, je veux seulement jouer des duos avec mon papa, pas des morceaux toute seule!

— Mais voyons, Samiha, papa se produit bien en solitaire, lui, pendant ses concerts. Tous les pianistes le font et, toi aussi, tu le peux.

— Non! Moi, je veux jouer avec toi.

— Et si tu me faisais une surprise comme l'autre jour? Si, cette fois, tu m'interprétais *La balançoire*, seule comme une grande fille? Si tu réussis, je te promets une belle récompense, d'accord?

— Bon, d'accord, puisqu'il le faut!

Quelques jours plus tard, Samiha vint à bout non seulement de *La balançoire*, mais également des deux pages suivantes de son nouveau cahier, et elle se mérita une énorme tablette de chocolat.

Bien sûr, Ivan ne disposait pas de suffisamment de temps pour lui donner régulièrement des leçons, et Marjolaine s'en chargeait en attendant de dénicher la véritable perle «brillante, douée, compétente, aimable et disponible» qui viendrait à la maison pour Samiha.

— Et pas n'importe quel prof! avait même précisé le pianiste. Il faut savoir comment la prendre et ne pas lui mettre de pression, à cette petite-là. On ne doit pas l'écœurer, car elle a vraiment du talent.

Avec un demi-sourire empreint de fierté, il s'était permis d'ajouter:

— Je me demande bien de qui elle tient cela!

Un jour, il revint de l'université en tenant dans sa main le numéro de téléphone de l'une de ses élèves.

— Celle-là devrait faire l'affaire. Pas très expérimentée comme prof, mais elle est une pianiste hors pair et elle adore les enfants, alors… Tu n'as qu'à l'appeler, Marjolaine, pour fixer un horaire avec elle.

C'est ainsi que Mélanie Trudelle fit son entrée sur la rue Durham. Une fille jeune et ravissante, élève d'Ivan au doctorat. Trop ravissante… Marjolaine ne pouvait s'empêcher d'imaginer que son mari passait sans doute des heures enfermé avec elle entre les quatre murs d'un studio de musique de l'université. Mais il continuait néanmoins de la choisir, elle, Marjolaine, plus âgée et assurément moins fraîche et pétillante. Ne la disait-on pas simplement jolie, sans plus ? « Jolie et sympathique » suffisaient en général à caractériser la romancière. Après tout, des femmes plus jeunes et plus belles, il s'en trouvait partout.

Et puis, pourquoi donc développer ainsi des sentiments de jalousie ? Ivan l'aimait d'amour, et cet amour, rien ni personne ne pouvait le ternir, elle en avait la certitude. Elle y croyait, elle devait y croire. Et l'amour réel ne résidait pas que dans l'apparence, que diable ! Un amour véritable restait un amour fidèle. Ne prenait-il pas racine à un niveau infiniment plus profond, là où nul orage et encore moins nulle autre personne, fut-elle la plus séduisante des intruses, n'avait accès ?

Tranquillement, le calme se réinstalla enfin dans la famille Danserot-Solveye. Ivan retrouva son visage des beaux jours, Marjolaine put retourner dans la trame de son roman, Samiha se mit à pianoter à longueur de journée tandis que Rémi poursuivait ses amours.

Évidemment, Ivan ne manquait pas d'appeler sa sœur tous les trois ou quatre jours à Dubrovnik. La conversation en croate durait très longtemps et Marjolaine n'y comprenait strictement rien. Elle aurait voulu dire quelques mots en français à sa belle-sœur, mais, dès qu'Ivan en avait terminé, il refermait aussitôt le combiné. Si le ton montait parfois, la plupart du temps le pianiste se faisait doux et conciliant. Rien ne servait de raisonner Lydia, elle ne réussirait qu'à la longue à assumer son deuil. Marjolaine n'en savait pas davantage, sinon que le désespoir barbouillait toujours et encore les jours et les nuits de sa belle-sœur.

La maison avait été vendue, et la mère et ses filles habitaient maintenant une mansarde délabrée et obscure, à distance de marche du modeste restaurant où Tonia exerçait le métier de serveuse à temps plein. Si Anika et sa mère avaient repris le chemin de l'école, l'une pour y poursuivre son cours primaire et l'autre pour y enseigner, les deux filles avaient au moins pu recommencer leurs cours de musique à l'Academia del Arte, grâce aux chèques de celui qu'elles appelaient leur « oncle Franjo ». En septembre prochain, d'autres décisions resteraient à prendre, mais, pour le moment, tout se déroulait comme prévu.

En général, Ivan demeurait plutôt silencieux sur sa relation avec sa sœur, et Marjolaine n'osait le questionner avec trop d'insistance. À part la déprime de Lydia, rien n'émergeait de ce qui se disait dans les conversations téléphoniques. Un soir, par contre, Ivan, après avoir déposé le combiné, s'en vint aussitôt trouver Marjolaine, le cœur battant la chamade. S'assoyant devant elle, il secoua la tête avec un air désespéré.

— Ma sœur ne va pas très fort, tu sais… Je me sens vraiment découragé, mes nièces aussi. Je crains qu'elle se suicide. Tu sais quoi ? Je pense que je vais leur suggérer de s'établir au Québec.

— S'établir au Québec ? Tu n'es pas sérieux, Ivan ?

— Je ne veux pas leur proposer de s'installer dans notre maison, non, non ! Mais pourquoi ne pas immigrer ici ? Elles seraient bien, toutes les trois, tu ne penses pas ? Si le Québec est un pays d'accueil pour de nombreux immigrants, pour quelle raison ne le deviendrait-il pas pour elles ? D'autant plus qu'elles seraient enfin entourées d'une famille pour les parrainer et leur remonter le moral, pour les encourager et même les protéger.

— Oh oui ! Tu as raison, je n'avais pas songé à ça. Bien sûr, il y aurait la barrière de la langue au départ, mais elles ne sont pas plus bêtes que les autres immigrantes. Déjà, Lydia peut raboudiner quelques phrases en français.

— Raboudiner ? Baragouiner, tu veux dire, Marjolaine !

— Euh… c'est ça, jargonner en français, quoi ! Ne t'en fais pas, elle apprendra ou, plutôt, elles apprendront, si cela représente le seul problème.

— Je vais m'informer dès demain et leur procurer tous les formulaires nécessaires pour remplir une demande. Si elles acceptent, évidemment !

L'idée mit néanmoins un certain temps à faire son chemin. Lydia Lesic ne se sentait pas du tout prête à quitter définitivement son pays natal. N'avait-elle pas déjà tout perdu ? Tout d'abord, ses parents et son frère et, des années plus tard, son mari et l'une de ses filles. Pourquoi faudrait-il que, maintenant, elle doive renoncer à son lieu d'origine, à sa langue, à sa culture ? Pourquoi tant de misères ? Qu'avait-elle fait pour mériter cela ? La pauvre femme n'était pourtant pas plus méchante qu'une autre.

Déprimée, Lydia pleurait continuellement, au point de devoir cesser momentanément son enseignement, incapable de faire face au moindre petit problème, ou à une simple contrainte ou obligation sortant de l'ordinaire. Son médecin lui prescrivit alors des anti-dépresseurs et lui conseilla de consulter une psychologue afin de suivre une thérapie. Faute d'argent, elle ne le fit pas, même si Ivan se disait prêt à ouvrir sa bourse une fois de plus.

Au bout du compte, la perspective de recommencer sa vie à zéro dans un autre pays fit tranquillement son chemin et finit par la convaincre, avec l'aide de Tonia et d'Anika, elles-mêmes prêtes à accomplir le grand saut. Elle présenta donc une demande officielle au ministère de l'Immigration à son nom et au nom d'Anika. Quant à Tonia, ayant maintenant atteint l'âge adulte selon les lois cana-diennes, elle dut remplir elle-même son propre formulaire. Leur arrivée fut prévue pour le mois d'août, et la tension baissa encore d'un cran, rue Durham.

À cause de la naissance du deuxième enfant de François et Caroline, attendue vers le début de juillet, le fameux voyage de noces prévu en Suisse, ce retour aux sources à l'endroit même où Marjolaine et Ivan avaient trouvé l'amour, fut remis aux calendes grecques.

— Aux calendes grecques, hein ? avait ironisé Marjolaine. Eh bien ! j'aimerais bien ça y aller, moi, aux calendes grecques ! Ça se trouve où, au juste ?

— Ça se trouve dans une période qui ne viendra jamais, ma chérie. Heureusement, le mot « jamais » n'existe pas dans notre vie à nous. Je préfère de loin le mot « toujours », s'était contenté de répondre Ivan du tac au tac, en souriant.

Un concert à Athènes, dans moins de deux ans, était justement en train de se négocier entre les organisateurs et son agent. Faute d'aller en Suisse, pourquoi ne pas joindre l'utile à l'agréable et partir en tournée dans le beau pays de la Grèce en compagnie de sa femme ? Après tout, rien n'empêchait les vieux mariés de refaire un véritable voyage de noces en Grèce plutôt qu'en Suisse, un de ces jours. Bof, c'était un projet à trop long terme. On rangea l'idée dans le coffre des beaux rêves. «Toujours», avait dit Ivan...

Quant à son récital de juin à Lausanne, Ivan fit un simple aller-retour, préférant se trouver sur place auprès de sa femme pour attendre, non sans une certaine excitation, la naissance de leur petit-fils, car il s'agissait bel et bien d'un garçon, cette fois.

À la vive surprise de Marjolaine, Caroline et François insistèrent pour qu'elle soit présente à l'arrivée du bébé. La jeune maman avait perdu sa mère à l'âge de dix ans et elle avait toujours considéré Marjolaine comme la sienne. Pourquoi ne pas lui offrir ce privilège auquel elle n'avait même pas songé lors de la naissance de Justine, soit celui d'assister à la venue au monde de son petit-fils ?

— Belle-maman, j'aimerais que tu assistes, avec François, à l'accouchement dans ma chambre d'hôpital.

— Mais voyons ! Il s'agit d'une affaire personnelle entre vous deux, ça !

— Non ! Une grand-mère, c'est presque aussi important qu'une mère et un père. Nous aimerions vraiment que tu sois avec nous.

C'est ainsi qu'un soir de grande canicule, le fils aîné appela sa mère d'une voix fébrile.

— Viens-t'en à l'hôpital, maman, ça y est !

Marjolaine ne portait pas à terre tant elle se sentait nerveuse quand Ivan la déposa à la porte de l'hôpital. Elle avait l'impression de n'avoir pas été aussi agitée et stressée lors de l'arrivée de ses propres fils.

À vrai dire, elle n'avait pas tort de s'énerver : la naissance s'avéra longue et difficile. Le travail n'avançait pas rondement et la dilatation du col ne s'effectuait pas normalement. Les douleurs se faisaient de plus en plus intenses mais irrégulières, le cœur de l'enfant se trouvait trop souvent en détresse. Marjolaine, plus que François, effondré et complètement dépassé, avait beau prendre la situation en main et faire les respirations et les exercices de détente avec la jeune mère épuisée, rien n'y faisait. De son côté, le personnel médical s'appliquait à injecter des doses de médicaments qui auraient dû accélérer le processus, mais sans résultat. Les heures s'écoulaient, terribles et stériles. Finalement, on prit la décision de mettre l'enfant au monde par césarienne.

— Ah ! il ne veut pas nous montrer sa binette, ce petit-là ? Rira bien qui rira le dernier ! s'exclama l'obstétricienne, espérant remonter le moral de sa patiente et des siens.

Une heure plus tard, tous exprimaient leur admiration devant l'adorable frimousse de bébé Charles. Sa figure fut d'abord écarlate, car il hurlait à fendre l'âme, mais le coquin ne mit pas de temps à se calmer et à retrouver le teint d'un bébé en santé. Il commença alors à téter goulûment le sein de sa mère, au grand bonheur de ses parents, du médecin et des infirmières, sans oublier sa grand-mère qui en pleura de joie.

« Un bébé tout mignon et tout rond, et surtout en bonne santé », c'est l'annonce que fit Marjolaine par téléphone, dix-sept heures après son départ de la maison, à son conjoint qui n'en pouvait plus de faire les cent pas entre le salon et la cuisine.

Ainsi, la famille s'agrandissait d'un beau garçon, petit-fils qui ferait la joie de sa grand-mère et de son grand-père adoptif, frérot qui allait partager ses jouets avec Justine, et petit cousin à dorloter pour la grande Samiha.

Pour cette dernière, les choses auguraient plutôt positivement. Si tout continuait de bien aller, Samiha ferait son entrée à la maternelle en septembre. Bien sûr, elle accuserait une année de plus que les élèves de la classe, mais qu'importe, mieux valait tard que jamais. Sa santé semblait maintenant sur la bonne voie, et elle pourrait sans doute suivre les autres enfants dans toutes leurs activités et sorties, en dépit de sa médication. La surveillance médicale avait relâché quelque peu, les visites obligatoires à l'hôpital s'espaçaient également, et Samiha pourrait probablement connaître une vie normale d'écolière comme tous les enfants du monde.

Ce jour-là, riche d'un petit-fils, Marjolaine rentra à la maison le cœur léger et rempli d'un nouvel amour. Tout était bien qui finissait bien.

CHAPITRE 13

À peine un mois plus tard, madame Lydia Lesic et ses deux filles, Anika et Tonia, étaient attendues au bureau du ministère de l'Immigration à l'aéroport Trudeau, dès leur entrée au Canada, passeports, visas d'immigration et certificats de sélection du Québec en main.

Les trois femmes n'auraient pas à profiter des services d'hébergement pour les nouveaux arrivants puisqu'Ivan et Marjolaine avaient tout prévu. Les premiers jours, elles habiteraient rue Durham, même si cela exigeait de s'entasser quelque peu, mais cela durerait seulement le temps de trouver un logement tout meublé à leur goût, quelque part à Montréal. De plus, avant de retourner à l'école, les deux filles devraient s'intégrer respectivement dans différentes classes d'accueil durant plusieurs mois afin d'apprendre le français. Quant à leur mère, on verrait bien où elle en était dans sa maîtrise de la langue avant de lui chercher du travail. Mais quel travail ? De toute évidence, il ne pouvait être question de reprendre son métier d'enseignante dans une école primaire pour le moment, vu son manque de connaissances en français.

Quatre semaines après leur venue au Canada, les trois Croates pourraient faire une demande de résidence permanente, puis, après trois mois d'attente, remplir un formulaire pour l'obtention de leurs cartes d'assurance maladie. Pour la suite des choses, on verrait en temps et lieu.

Dans la salle d'attente des arrivées internationales de l'aéroport, Ivan et Marjolaine ne tenaient plus en place, autant excités qu'inquiets au sujet de celles qui se présenteraient dans quelques minutes. Samiha, quant à elle, ne cessait de sautiller sur une patte et sur l'autre, avide de retrouver ses cousines avec qui elle avait passé si joyeusement le dernier temps des Fêtes.

Marjolaine faillit lancer un cri horrifié en voyant apparaître la mine renfrognée de Lydia. Dieu du ciel! Non seulement elle avait maigri, mais son visage paraissait fripé, sa peau flasque et son regard éteint et fuyant. Vraiment, on lui aurait donné vingt ans de plus, alors qu'elle venait à peine de passer le cap de la cinquantaine. La fatigue du voyage ne suffisait pas à expliquer autant de flétrissure et de détresse, et un sentiment de pitié submergea la Québécoise. En plus d'offrir un magnifique bouquet de roses à sa belle-sœur, Marjolaine la pressa longuement sur son cœur en lui promettant silencieusement de l'aider à voir la fin de son calvaire.

— Bienvenue chez nous ou, plutôt, bienvenue dans ton nouveau chez-toi, ma chère Lydia.

La nouvelle venue ne comprit pas la subtilité et se contenta de lancer un *dobar vecer*[1] sans chaleur.

— Et vous aussi, mes nièces, soyez les bienvenues! Et puissiez-vous être heureuses dans votre nouvelle vie!

---

1. *Bonsoir*, en croate.

Seule la vivacité de leurs étreintes put révéler à Marjolaine l'intensité de ce qu'elles ressentaient en cet instant précis. À vrai dire, les jeunes filles, surtout Tonia, semblaient bien conscientes de vivre un moment privilégié et très particulier de leur existence. Marjolaine perçut également un certain soulagement sur leurs visages. Sans doute se réjouissaient-elles de remettre enfin, entre les mains de leur oncle et de leur tante, le problème épineux de leur mère. Elles-mêmes regrettaient amèrement la perte de leur père et de leur sœur, mais la vie continuait et elle les avait vite reprises de plus belle, alors que Lydia, elle, sombrait de plus en plus dans une dépression profonde. Ce problème les dépassait largement et les remplissait d'amertume, sinon de remords de ne pas se sentir aussi atterrées que leur mère et de ne pas savoir de quelle manière la sortir plus rapidement de l'impasse.

Samiha, avec sa naïveté enfantine, créa une certaine diversion dans la salle des arrivées et réussit à détendre l'atmosphère en offrant à ses cousines deux oursons de peluche, l'un bleu pour la grande Tonia âgée de dix-huit ans et l'autre, tout rose, pour la jeune Anika de dix ans. Les toutous étaient porteurs d'un drapeau du Québec à l'arrière duquel s'inscrivaient les mots *Bonne chance !*. Chacune s'exclama, embrassa la fillette, la caressa, la remercia et essuya même une petite larme. Oui, la vie allait sûrement leur sembler plus joyeuse, dorénavant.

Les bagages, limités à une seule valise par personne, se résumaient à peu de choses. Des vêtements plutôt légers, un ou deux albums de photos, quelques livres et paperasses, de rares souvenirs et rien d'autre. La famille Lesic débarquait au Canada presque démunie et dépouillée de tout pour entreprendre sa nouvelle aventure. Mais déjà, à l'aéroport, elle devenait riche de tendresse et de considération, et des bras s'ouvraient largement pour elle. On avait même préparé pour la mère et ses filles un nid bien chaud et on ferait tout pour les rendre heureuses. Pour leur faire oublier le passé et les amener à regarder positivement vers l'avenir.

Contre toute attente, c'est Ivan qui se mit à pleurer au moment de s'acheminer vers la voiture. Lui aussi avait recommencé sa vie à zéro, et trois fois plutôt qu'une ! D'abord aux États-Unis durant les premières années après sa fuite de Croatie, puis en France, où il avait dû apprendre la langue et les coutumes. Et maintenant, au Canada, où il avait bien l'intention de finir ses jours.

— Ma chère petite sœur, nous ne pourrons jamais remplacer Joseph et ta chère Ela, mais sache que, dorénavant, tu ne seras plus seule. Marjolaine et moi sommes là, et tous les autres membres de notre famille. Tous ensemble, nous allons continuer d'être heureux dans ce beau pays, je t'en fais le serment solennel.

Une fois de plus, Marjolaine ne put saisir ce qu'il disait à cause de la langue, mais elle pouvait très bien le deviner.

On installa Lydia et ses filles dans l'ancienne chambre de François au sous-sol, occupée depuis près d'un an par Samiha, en ajoutant deux lits superposés à celui qui s'y trouvait déjà. La fillette dormirait temporairement sur le divan-lit dans le bureau de sa mère, le temps de dénicher une résidence pour les nouvelles arrivées.

La première nuit fut tumultueuse. Aux alentours de minuit, Lydia, en alerte, monta à l'étage pour réveiller son frère.

— Ivan, je crois que la police est à la porte.

— Quoi ! Que se passe-t-il donc dans le quartier ?

— Non, non, c'est juste ici, à la porte !

S'approchant de la fenêtre, il aperçut la voiture d'Au coq rôti, 24/24, stationnée devant l'entrée du voisin d'en face, son gyrophare clignotant sur le toit.

— Va te recoucher, sœurette, c'est simplement le poulet.

— Le poulet? Vous appelez les policiers « des poulets » ?

— Pas ici, en France, seulement!

— Et, au Québec, il vous arrive de manger du poulet au petit matin! Ah bon!

— Ben quoi! En Amérique, on se permet parfois ce genre de folies, tu sais. Et... bien d'autres choses!

Même si la conversation s'effectuait en croate, Lydia n'y comprit pas grand-chose. Du poulet en pleine nuit... Fallait le faire, tout de même! Quel étrange endroit! Le même jour, aux premières lueurs de l'aube, Anika aperçut à travers la fenêtre de la chambre un écureuil sur la branche d'un arbre et elle lança un grand cri de frayeur qui réveilla tout le monde.

— Venez voir! Il y a un animal sauvage qui tourne autour de la maison!

Cette fois, Ivan dut lui expliquer que les écureuils ne représen-taient aucun danger, et qu'elle en verrait sans doute tous les jours aux alentours.

Marjolaine ne savait où donner de la tête avec les repas, les lavages, le ménage, le va-et-vient continuel dans la maison, un brouhaha dont elle avait perdu l'habitude depuis longtemps. Et tout cela sans compter le repli sur elle-même de Lydia, son « air de beu » et son refus obstiné de participer à quoi que ce soit. Elle ne levait même pas le petit doigt pour ramasser la vaisselle sale ou pour passer le balai sous la table de la cuisine. Bien sûr, la barrière de la langue entrait en ligne de compte, mais Lydia possédait tout de même quelques rudiments de français et elle aurait pu en profiter pour l'améliorer.

Mais non. La Croate écoulait ses journées dans le grand fauteuil du salon, inerte et le regard fixe, plongée dans le silence, sans manifester aucun intérêt pour le monde nouveau qui l'entourait. Marjolaine se serait attendue à un abattement moins sévère, à tout le moins elle avait espéré un effort de collaboration de la part de Lydia. Comment, maintenant, dénicher un thérapeute parlant croate au Québec? Souvent, l'écrivaine, qui n'écrivait plus, fermait les yeux, serrait les poings et soupirait, s'agrippant désespérément à une phrase enseignée par sa mère dès son bas âge : les orages ne durent jamais éternellement.

Chaque matin, Ivan quittait sa femme à regret, avec le sentiment de l'avoir conduite aux portes de l'enfer. Lui, l'homme vivant autrefois en solitaire, lui avait imposé en quelques années une jeune enfant, malade de surcroît ainsi que sa sœur et ses deux nièces. Heureusement, si Marjolaine en avait eu plein les bras avec son fils Rémi, tout était définitivement rentré dans l'ordre. Paisiblement, calmement, sereinement, elle aurait pu profiter de sa situation de grand-mère et de simple compagne de vie de l'homme qu'elle aimait. Elle aurait pu aussi se consacrer quotidiennement à l'écriture en toute lucidité et inspiration. Et tranquillité.

Au lieu de cela, elle se trouvait aux prises avec mille et un problèmes et obligations. C'est pourquoi il urgeait de dénicher un logement meublé pour les Lesic. Où, quand, comment et, surtout, à quel prix? Ivan ne le savait guère.

C'est ainsi qu'un samedi matin, il s'en fut avec sa femme et sa sœur, traînée de force, visiter des appartements à prix modique dans le quartier Hochelaga-Maisonneuve. Quoiqu'un peu éloignés de la rue Durham, ils s'avéraient tout de même facilement accessibles par le métro. Lydia émit à peine quelques vagues opinions, comme si cela ne l'intéressait pas. C'était à se demander si elle se réjouissait d'être venue au Canada.

De toute évidence, la Croate ne se remettait nullement de sa dépression, et Marjolaine se promit intérieurement de l'emmener consulter son médecin de famille à cet effet. Faute de thérapie, qui sait si les médicaments, qu'elle ne prenait plus depuis son arrivée ici, n'accompliraient pas le miracle de ramener le soleil à l'horizon? On porta finalement le choix sur un petit quatre pièces et demie situé dans une maison à appartements. Propre et meublé simplement, il ferait certainement l'affaire pour les prochains mois. Plus tard, on aviserait.

Une fois la mère et ses filles déménagées et bien installées, et une fois Tonia et Anika inscrites dans une classe d'accueil en français du quartier avant de poursuivre leurs études, l'année suivante, Marjolaine put pousser un soupir de soulagement. Ouf! Ces premières semaines ne s'étaient pas avérées une sinécure!

Bien sûr, il n'était pas question pour les filles, surtout pour Tonia, d'abandonner leurs cours de musique. Comme il l'avait fait pour Samiha, Ivan s'empressa de dénicher une prof de flûte pour Tonia, au Conservatoire. La jeune Anika, par contre, ne pourrait se remettre immédiatement au piano, ne possédant pas d'instrument chez elle pour s'exercer tous les jours. Qu'à cela ne tienne! Deux semaines après le déménagement, un piano loué faisait son entrée dans le salon des Lesic, et Mélanie Trudelle compta une nouvelle élève.

Il ne restait plus que la mère, la chère Lydia, à se caser dans une école de perfectionnement du français avant de reprendre le chemin du travail. Elle avait donc mis son nom sur une liste pour une place en classe de français avancé. Malheureusement, les semaines s'écoulaient et elle ne recevait toujours pas de réponse. Un jour, n'y tenant plus, elle rappela pour s'informer de ce qui se passait. On l'avisa alors que l'attente pouvait s'étirer jusqu'à neuf ou dix mois.

Les antidépresseurs finalement prescrits par le médecin de Marjolaine donnèrent des résultats à la longue. Petit à petit, Lydia retrouva ses esprits et manifesta quelque intérêt aux choses de la vie. Elle commença d'abord par s'intéresser à des éléments futiles comme la façon de s'habiller de ses filles, à leur départ le matin, ou à la couleur trop vive des coussins du salon. Puis, le bon sens revint peu à peu. Un jour, Marjolaine poussa un soupir de soulagement en la voyant se présenter coiffée, maquillée et souriante à un souper familial, rue Durham. À partir de ce moment-là, Lydia entreprit de cuisiner, de faire quelques courses et de voir à ce que ses filles arrivent à l'heure à leurs cours respectifs d'immersion en français.

Ce ne fut pas long avant que ces dernières surpassent leur mère dans ce domaine. En peu de temps, Anika s'exprimait parfaitement dans la langue du Québec sans trop s'en rendre compte. Tonia, elle, était en train de se lier d'amitié avec des amis francophones et elle n'avait plus qu'un seul objectif, soit celui de les comprendre et de communiquer avec eux. Bien saisir les paroles de son professeur de flûte également. Naturellement, on s'était gentiment moqué d'elle quand elle avait parlé de sa couture au lieu de sa coiffure et de sa brasserie au lieu de sa brassière ! Mais, Dieu merci, le processus d'assimilation allait bon train.

Quant à Lydia, puisque l'attente s'éternisait et qu'elle possédait tout de même quelques rudiments de français, elle décida, sans le confier à personne, de postuler pour un emploi de serveuse dans le café du centre d'entraide pour immigrants du quartier. Là, non seulement elle pourrait perfectionner son français, mais elle se ferait elle aussi des amis. Des gens comme elle, expatriés à l'autre bout de la planète et qui tentaient de se construire une nouvelle vie,

-souvent loin de leurs racines, de leur culture et de leur mentalité. Des gens démunis qui tournaient le dos à leurs repères et à leurs références et, parfois même, à leurs souvenirs. Des gens plus seuls que jamais, perdus dans une marée houleuse trop souvent anonyme et indifférente. Des gens à la recherche d'une place au soleil et qui croyaient encore en de meilleurs lendemains. Des gens appuyés sur cette foi belle et unique en l'avenir. Des gens qui regardaient en avant et refusaient de se laisser tirer en arrière.

Le jour où Lydia, toute joyeuse, appela pour faire part de son embauche au restaurant, Marjolaine sut qu'elle était sauvée.

CHAPITRE 14

L'automne avait, une fois de plus, ramené Rémi sur les bancs du cégep pour une dernière session en travail social. Robert, l'agent de libération conditionnelle, ne venait plus à la maison. Une visite par mois au poste central par le jeune homme suffisait, et il en serait ainsi jusqu'à la fin de sa sentence, un an et demi plus tard. Ses amours avec Marie-Hélène semblaient perdurer, quoique depuis l'arrivée de Lydia et de ses filles, il ne l'emmenait plus à la maison, même après le déménagement des Croates dans leur propre logement.

Chaque jour, il se rendait au cégep à vélo et ne rentrait que le soir – quand il rentrait ! –, complètement à plat, mais l'esprit farci de belles théories et d'expériences enrichissantes. Ses brillantes notes lui rendaient justice : Rémi Legendre avait repris pour de bon le droit chemin, et Marjolaine se sentait enfin libérée d'un poids énorme. L'arrestation et la condamnation à la prison pour de nombreuses années de son ancien trafiquant de drogue lui réclamant de l'argent y étaient pour quelque chose. Le garçon ne craignait plus personne et pouvait marcher la tête haute vers la profession qui l'appelait.

Bien entendu, il poursuivait son bénévolat au centre Les Papillons de la Liberté un après-midi par semaine, en guise de projet de fin d'études. Ainsi, le jeudi après-midi, il rencontrait systématiquement, à raison d'une classe par semaine, les délinquants pour témoigner de sa propre histoire, favoriser les discussions avec eux au sujet de leurs problèmes et de leurs aspirations, et chercher des solutions. Cela ne l'empêchait pas d'y retourner, à l'occasion, le samedi ou le dimanche, soit pour jouer aux cartes en compagnie de Jean-Claude, soit pour organiser une partie de volley-ball ou de soccer avec les jeunes pensionnaires.

Au terme de la session, il avait l'intention de faire un compte rendu de ces rencontres, d'y apporter ses points forts et ses faiblesses et d'en tirer des conclusions. Cela constituerait, sans contredit, un excellent travail de fin d'études et lui mériterait le diplôme longtemps convoité d'intervenant social.

Bien sûr, il ne pouvait se comparer à la plupart des délinquants confinés dans le centre jeunesse. Lui, il profitait du support familial, il se sentait aimé et bien entouré, il avait aussi reçu le soutien d'un homme extraordinaire en la personne de Jean-Claude Normandeau, lui-même ex-détenu. Lui, il avait pu bénéficier de toutes les chances possibles, tandis que ces jeunes-là, pour la plupart, provenaient d'une famille dysfonctionnelle quand elle n'était pas carrément absente, voire inexistante. Mais de devenir leur ami et leur confident semait malgré tout un peu d'espoir dans leur misérable vie de démunis.

Un jour, sans s'en rendre compte, il laissa traîner chez lui, sur la petite table de l'entrée, une lettre écrite par une fille de seize ans, enfermée obligatoirement au centre depuis déjà un an et demi, après avoir commis certains délits et fait de multiples fugues hors des foyers d'accueil où elle habitait.

Marjolaine trouva la lettre par hasard, un bon matin, et ne put s'empêcher de la dévorer des yeux, frappée de stupeur.

J'en pouvait plus, tu sais, Rémi. Au départ, depuis des année mon père n'arrêtais pas de me battre quand je voulais pas couché avec lui. Alors un jour je me suis enfui de chez nous. Je préférait la rue à cette vie insuportable. De toute manières j'allais plus à l'école depuis longtemps et persone ne se rendrait conte de mon absense. Mais j'avais faim et pas d'endroit où allez alors je piquait de la bouffe ici et la, je quêtait et je commettait des vol de sacoches jusqu'à se que la police arrive et me ramène à la DPJ. Là on me trouvaient un autre place en attendant d'enquêté sur mon père. Quelque jours plus tard je me sauvait encore du nouveau foyer ou on m'avait placé, même si là je mangait à ma faim. Je n'aime pas vivre dans les institution ou on moblige à obéir à toute sorte de règlement. Moi, je veut ma liberté.

J'ai répété ça à trois reprise et me voilà maintenant au centre Les Papillons de la Liberté. Une liberté que je connaitrez jamais, me semble. L'idée de partir me travail encore mais l'hiver sans vient bientot. Je ne sé plus quoi faire et je pense au suicide. Aide-moi, je tant supplis, Rémi.

Mylaine

Évidemment, ce soir-là, Rémi n'était pas rentré depuis cinq minutes que sa mère posait une main chaude mais lourde sur son épaule en ne pouvant se retenir de le questionner.

— Dis donc, tu en reçois souvent, des lettres comme celle de cette pauvre Mylaine ?

— Ah ! je l'avais laissée ici. Je l'ai cherchée toute la journée. Pas jojo, hein ? Dire que c'est le genre de travail auquel je m'adonnerai très bientôt. Oui, maman, j'en reçois souvent. Parce que je suis jeune, je suppose, que j'ai connu la prison et m'en suis sorti, les résidants sont portés à me faire confiance.

— Que vas-tu lui répondre, à cette fille ?

— Je le sais pas trop… Je vais certainement montrer la lettre à son tuteur, pour commencer, pour l'aviser de ses idées suicidaires. Et peut-être vais-je lui répondre que l'on aboutit à rien si on fait rien pour y arriver. Elle doit s'armer de patience et d'abord faire son temps aux Papillons. Mais ce n'est pas suffisant, la patience… Elle a besoin de croire que sa vie deviendra plus facile, un jour, si elle s'organise comme il faut. Tout d'abord, elle doit se préparer au marché du travail et poursuivre ses études plutôt que de voler les sacs à main des pauvres femmes. Quant à son passé, elle peut pas le recommencer, seulement lui tourner le dos en le remplaçant par autre chose de plus beau conjugué au présent. Hélas, les cicatrices restent… Qui sait si elle rencontrera pas quelqu'un qui va l'aimer sincèrement, un de ces jours, et qu'elle vivra pas une vie passionnante auprès de lui ? Mais elle doit, d'abord et avant tout, apprendre à se débrouiller seule et cesser de voler des sacoches dans la rue.

— Oh là là ! C'est toi, mon fils, qui parles de cette manière ? Bon Dieu de la vie ! Tu en as fait, du chemin ! Je suis fière de toi, Rémi. Tu dis cependant que les cicatrices restent…

— À vrai dire, j'en ai gardé très peu, et elles me servent uniquement de leçon. Tu sais, maman, j'avais pas de véritable raison de devenir délinquant et de perdre la tête comme je l'ai fait. Mes *trips* de drogue résultent simplement d'une folie de jeunesse, et le *hold-up* qui a causé mon arrestation constitue une folie encore plus grande. Il a donc été facile pour moi de m'aguerrir et, maintenant, de tenir bon. Mais mets-toi à la place de cette fille violée par son père. Elle n'a plus rien, plus de famille, plus de repères, plus de piliers sur lesquels s'appuyer. Pas commode ! Et elle n'a que seize ans ! À part sa jeunesse et l'amitié, il lui reste plus rien.

— Justement, sa jeunesse peut constituer un puissant atout. Quant à l'amitié, tu ne peux pas devenir l'ami personnel de tous les délinquants de la ville, mon pauvre Rémi. On a bien dû t'enseigner ça au cégep.

— Je sais, je sais, mais tant que je le pourrai, j'essayerai de les aider.

— Je comprends maintenant pour quelle raison tu obtiens des belles notes au collège. Tu as vraiment trouvé ta voie, et je suis très fière de toi, mon grand.

— Tu peux dire merci à Jean-Claude Normandeau, maman.

— Il te sert de modèle, et je m'en réjouis sincèrement. Je lui dois une fière chandelle.

L'ombre d'un instant, le sourire de Jean-Claude apparut dans l'esprit de Marjolaine. Le roman évoquant son histoire méritait bien son titre : en effet, l'homme avait accompli, avec son fils, un véritable miracle.

Puisse ce fils poursuivre avec autant de succès cette œuvre grandiose et passablement ardue…

— Allo ? Madame Danserot ? Je suis Martine Fournier du *Journal de Montréal*. Pourrait-on vous rencontrer chez vous pour une entrevue, s'il vous plaît ? Votre jour et votre heure seront les nôtres et nous conviendront certainement !

C'était le troisième appel d'un média en autant de jours. Même si sa publication datait d'un peu plus d'un an, *Le Miracle* venait de remporter le prix de la Fondation pour la survivance du français au Québec. Un prix, une bourse et quelle belle publicité ! Elle-même n'en revenait pas et se sentait fière de son roman. Déjà les ventes allaient bon train, et elle espérait le voir obtenir une place de choix dans la littérature québécoise, mais de là à décrocher un trophée aussi prestigieux… Oh là là ! C'était la dernière chose à laquelle elle s'attendait.

Entrevues, tables rondes, chroniques littéraires, émissions de télévision et de radio, ça n'arrêtait plus depuis deux semaines. Marjolaine en avait le frisson rien que d'y songer. Non seulement cela flattait son orgueil d'écrivaine, mais elle se réjouissait que ce roman-là en particulier soit primé. Son contenu ne confirmait-il pas que le miracle de la réhabilitation pouvait réellement exister ? La vie de Jean-Claude Normandeau en constituait la preuve formelle. Quant à la qualité de l'écriture, elle savourait le plaisir de recevoir des compliments sur son style et sur la justesse de sa langue et de ses propos. Après tout, la fierté n'avait rien de gratuit et se méritait uniquement par l'effort et le travail.

À la vérité, Marjolaine ne s'était jamais vraiment remise des critiques négatives émises lors de la publication de son œuvre précédente et, depuis ce temps, malgré ses efforts, elle manquait quelque peu de confiance. Se voir portée ainsi aux nues la rendait folle de joie, car elle ne craindrait plus jamais les critiques. Le petit prétentieux qui avait démoli son dernier roman pouvait bien ravaler ses opinions et aller au diable. Marjolaine Danserot venait de rafler les honneurs et elle pourrait s'asseoir dessus pour le reste de ses jours !

Évidemment, Ivan s'était avancé dès la première annonce du prix.

— Il faut fêter ça, mon amour !

— En famille seulement, mon chéri, et en mettant Jean-Claude et Rémi en évidence. Pourquoi pas ? Ce sont eux, les véritables héros de l'histoire. Mais… dis donc, j'ai une idée, tiens !

Quelques jours plus tard, on célébra, d'abord en après-midi, avec tous les résidents du centre Les Papillons de la Liberté, le succès du livre et de sa précieuse source d'inspiration : le prof de français lui-même. On applaudit également l'auteure et son fils que tout le monde connaissait. Amuse-gueules, croustilles et boissons gazeuses furent servis dans la grande salle du centre, où chacun des élèves se réjouissait non seulement du prix décerné à ce livre qu'ils avaient pour la plupart dévoré, mais aussi pour la belle occasion de congé, en ce jour ensoleillé de la fin de septembre.

Vers cinq heures, Rémi, Jean-Claude et sa femme Monique accompagnèrent Marjolaine et Ivan dans un restaurant du Carré Saint-Louis pour rejoindre François et Caroline, ainsi que Lydia et ses filles, déjà installés à une table. Là, à part Rémi à cause de sa probation, on leva les verres de chianti au succès du roman et on dégusta la bonne cuisine italienne annoncée à la porte.

En affichant un air amusé, Jean-Claude se permit une petite réflexion.

— Dites donc, je quêtais ici, moi, pas plus tard qu'hier après-midi. Si quelqu'un me reconnaît dans ce restaurant en train de trinquer, je suis foutu ! Ma carrière de quêteux du Carré Saint-Louis va s'arrêter là, ha ! ha !

Au retour, Marjolaine salua du regard le Château des Sons et des Mots, en se disant que cet endroit avait bien porté son nom. Un vent frisquet d'automne balayait les feuilles sous les lampadaires du parc. «Je suis heureuse», songea-t-elle en se blottissant contre l'épaule de son amoureux.

Quelques jours plus tard, elle « tomba en bas de sa chaise » quand un réalisateur et scénariste lui proposa de porter le roman à l'écran. Quoi ! Elle devait rêver, c'était trop !

CHAPITRE 15

Bonjour Marjolaine,

Comment vas-tu ? Il y a longtemps que j'ai reçu de tes nouvelles. J'espère que tout va pour le mieux pour toi, que ta bonne santé se maintient et que l'écriture continue de te tenir occupée. Pour ma part, j'enseigne toujours à l'université de Buenos Aires, mais j'écris de plus en plus. J'imagine que tu n'as pas oublié que nous cinq, les auteurs ayant séjourné au château de Manuello, avons rendez-vous à Genève, l'été prochain.

J'ai eu l'occasion de rencontrer dernièrement Agnès Lacasse, lors du Salon du livre de Bruxelles, où, invité d'honneur, j'ai présenté la traduction française de l'un de mes bouquins. Maintenant veuve, notre amie poursuit son métier de traductrice tout en travaillant à une œuvre ésotérique. Elle ignore si elle se joindra à nous en juillet prochain. J'espère que toi-même seras des nôtres.

D'ici là, sois heureuse ! Je t'embrasse amicalement.

Paolo Santiago

Tiens, tiens ! La chère Agnès continuait de publier des œuvres ésotériques. Marjolaine souhaita que le beau Paolo ne se soit pas laissé prendre, pas plus par ses tentatives de séduction érotique que par son jeu de croyances cabalistiques, mystérieuses et inaccessibles. Et puis, oui, elle-même serait sans doute des leurs à Genève si Dieu lui prêtait vie, si Ivan et Samiha allaient bien, si Rémi maintenait ses bonnes résolutions, si Lydia et ses filles réussissaient enfin à s'en tirer, si Caroline et ses deux enfants n'avaient pas besoin d'elle, si… et si… Et puis, zut ! Elle verrait en temps et lieu. Pour l'instant, elle avait à peine le temps de se consacrer à son nouveau roman. L'attribution d'un prix et tout ce que cela entraînait venaient, en plus du reste, troubler sa sérénité. Rencontres dans les cercles littéraires, entrevues avec les médias, conférences dans les bibliothèques, ça n'en finissait plus !

Les problèmes de Rémi mis à part, elle aurait presque regretté l'époque où elle se préparait à s'envoler vers ce fameux château de Manuello, cette période de calme plat où chaque matin, une fois sa famille partie vers ses obligations, elle se retrouvait seule dans sa maison, avec sa tablette à écrire, son ordinateur, un beau voyage en vue et… la paix ! Dans son univers à elle, seulement à elle, pourtant habité d'une souffrance insidieuse et perfide reliée à l'indifférence d'Alain Legendre.

Mais Ivan Solveye était venu avec son charisme, sa musique, son amour ardent, et il avait déclenché un grand coup de foudre auquel elle n'avait pu résister. Involontairement, il avait ensuite tout chambardé à cause de l'existence d'une petite fille, puis d'une sœur soudainement devenue veuve et de nièces maintenant orphelines de père. Ces dernières années, Marjolaine avait tout endossé, mais en ce moment précis, en ce matin frisquet avant-coureur de la saison froide, elle se retrouvait complètement à plat, vidée, épuisée, à bout de force.

« Sur les rotules », aurait dit Ivan qui, lui, semblait imperméable à tous les emmerdements, à quelques exceptions près. Des exceptions courtes et momentanées… Dieu merci, depuis l'arrivée de Lydia et de ses filles au Québec, il avait totalement retrouvé sa sérénité. Il restait là, auprès de Marjolaine, fort et solide comme si les aléas de la vie n'avaient plus d'emprise sur lui, ni le pouvoir de le blesser, de l'inquiéter ou de le traumatiser. Sans doute, à cause de son passé trop douloureux, avait-il développé un optimisme excessif, une manière d'envisager l'imprévu avec l'assurance de ne plus jamais souffrir autant que lorsqu'il avait vingt ans. Sa courte dépression n'avait constitué, au bout du compte, qu'un vague moment de faiblesse, sans plus. Un simple trébuchement sans gravité, quoi !

Et pourtant non ! Quand Lydia avait perdu Joseph et Ela, Ivan s'était suffisamment énervé et indigné durant un certain temps pour trahir sa vulnérabilité. Marjolaine en avait conclu que l'événement avait sans doute rapproché l'homme de ses souvenirs de jadis, si laborieusement mis au rancart et désespérément repoussés dans l'oubli. Sa révolte avait alors éclaté et il avait éprouvé une réelle désolation pour sa pauvre sœur qui, elle, avait dû revivre, pour une deuxième fois, la perte majeure de deux êtres chers parmi les siens.

Mais tout cela n'avait pas jeté toutes les belles théories du pianiste par terre, puisqu'il avait suffi d'un peu de musique en compagnie de Samiha pour le ramener au temps présent et à la joie de vivre dont il débordait. Marjolaine en avait conclu qu'Ivan Solveye était un humain comme les autres, et non pas un surhomme.

Comme elle aimait cet être à la fois doux et fort, rationnel et sensible, généreux et bon, et artiste jusqu'au bout des doigts ! Encore la veille, il avait décidé de venir s'exercer à la maison au lieu de rester à l'université pour préparer un concert qu'il allait présenter prochainement, elle ne se rappelait plus à quel endroit, pas plus qu'elle ne connaissait le *Concerto pour piano*♪ de Ferdinand Hiller, compositeur allemand dont elle ignorait jusqu'ici l'existence.

Ivan avait insisté pour jouer quelques heures avant le souper. Tant pis, on remettrait le repas à plus tard. Cela n'avait aucune importance puisque Lydia et ses deux filles habitaient dorénavant ailleurs et, selon ses habitudes du vendredi soir, Rémi ne viendrait pas souper. Elle pourrait donc faire avaler une bouchée à Samiha en début de soirée et, après l'avoir mise au lit, Ivan et elle pourraient alors s'offrir un petit gueuleton en tête-à-tête.

Habituée à entendre Ivan pianoter pendant de longues périodes de temps, Marjolaine n'y prêtait habituellement qu'une oreille distraite. Mais cette fois, son attention avait été attirée par l'ampleur des sons qui lui parvenaient. Wow! Comment cet homme pouvait-il dépenser autant d'énergie et se donner à ce point sur le clavier, sans jamais perdre une seule note de la partition qu'il possédait de mémoire? Quel feu, quelle passion ou bien quelle rage pouvaient l'emporter à ce point? Le visage crispé, les yeux à moitié fermés et les lèvres serrées, il avait martelé les notes, la tête penchée au-dessus du clavier avec l'ardeur d'un passionné. Ou avec l'exaltation d'un fanatique, pour ne pas dire avec la colère d'un fou.

Puis, soudain, sans crier gare, il s'était fait tout doux, berceur et tendre. On aurait dit un ange effleurant les touches de ses mains divines. Alors, le pianiste avait porté la tête vers le haut, les yeux levés vers le ciel. Était-ce pour se faire plus léger ou bien pour partir à la recherche de son âme perdue dans les hautes sphères de l'insaisissable? Marjolaine avait l'impression qu'en ce moment précis, Ivan ne s'était plus trouvé sur la rue Durham, mais revivait le drame de

---

♪   Pour entendre ce morceau, visitez le www.quebec-amerique.com/coupsurcoup et sélectionnez l'extrait musical n° 23 : Moderato ma con energia e con fuoco du *Concerto pour piano n° 69* de Ferdinand Hiller.

sa vie sur le piano, vingt-cinq années auparavant. Une fois de plus, il traversait son destin à sa manière.

Mine de rien, elle était venue s'asseoir dans le grand fauteuil du salon pour l'écouter et se laisser entraîner, elle aussi, sur les mêmes lancées. Il lui semblait entendre les violons de l'orchestre dialoguer tout doucement avec le pianiste ou, à d'autres occasions, lui tenir tête avec violence et insistance.

Samiha ne mit pas de temps à la rejoindre sur la pointe des pieds. Ensemble, serrées l'une contre l'autre, elles avaient sagement écouté Ivan jouer le premier mouvement de son concerto. La bambine n'avait pas bougé d'un poil, au grand étonnement de Marjolaine. Même si le bilan de sa courte existence dépassait largement les balises d'une vie normale, comment cette enfant-là pouvait-elle, à un si jeune âge, le transposer dans cette musique tellement expressive? Marjolaine l'avait pressée encore plus fort contre elle et lui avait murmuré intérieurement : « Je t'aimerai jusqu'à la fin des temps, Samiha... »

Quand Ivan s'était arrêté de jouer, il semblait remué jusqu'au fond de l'âme et avait mis un certain temps à revenir à la réalité. Il avait alors découvert avec étonnement qu'un auditoire s'était discrètement installé dans un fauteuil derrière lui, en les personnes de sa femme et de sa fille.

Si Marjolaine n'avait pu s'empêcher d'applaudir, la petite, elle, en avait redemandé.

— Encore, papa!

— Encore? Tu veux me faire mourir, petite coquine! Ah! pour toi, je vais jouer des choses plus faciles. Sors ton cahier de partitions, on va voir ce qu'on peut faire avec son contenu.

Marjolaine en avait profité pour poser la question qui la chicotait.

— Dis donc, mon chéri, à quel endroit vas-tu interpréter ce concerto ?

— Je voulais justement t'en parler. On m'a demandé de remplacer à main levée, c'est le cas de le dire ! le pianiste invité et déjà annoncé pour présenter ce concerto et quelques autres pièces avec l'orchestre de la Camerata d'Athènes. Le type doit se retirer du concert à la dernière minute pour subir une intervention chirurgicale urgente. Comme tous les billets sont déjà vendus, on m'a sollicité pour jouer à sa place.

— À Athènes ? Oh là là ! C'est pour quand ? Pas aux calendes grecques, toujours ?

— Non, non ! C'est dans deux semaines, ma chère. J'avais l'intention de te faire une surprise et de t'y emmener. Cela nous ferait du bien, je pense, même si ce n'est que pour cinq ou six jours, le temps de m'habituer au décalage et de m'exercer avec l'orchestre. Il s'agit d'un remplacement et cela n'empêchera pas mon autre concert en Grèce prévu dans un peu moins de deux ans et pour lequel j'ai déjà signé un contrat. Notre fameux voyage de noces à reprendre, tu te rappelles ? Cette fois-ci, si tu acceptes de venir, je ne pourrai pas passer beaucoup de temps avec toi, mais qu'importe. Que penserais-tu d'une petite évasion, mon amour ? Tu mérites largement un congé, il me semble. Et puis, la cuisine grecque vaut certainement le déplacement, après tout !

— Oui, évidemment. Mais c'est loin, la Grèce. Il nous faudrait caser Samiha quelque part. Je ne sais pas si Caroline accepterait. Elle paraît débordée avec Justine et bébé Charles.

— Et si on demandait à ma sœur ?

— Non, elle demeure trop loin de la maternelle. Samiha accuse déjà un an de retard, on ne va pas en rajouter et lui faire manquer la classe pour rien, hein ?

Ivan avait failli répondre qu'il ne s'agissait pas d'un congé « pour rien », mais il avait préféré se taire.

De son côté, Marjolaine s'était gardée d'affirmer à son mari que, même au prix d'un voyage en Grèce, jamais elle ne confierait Samiha à sa belle-sœur croate, toujours un peu déprimée, malgré la prise de médicaments et ses progrès vers sa nouvelle autonomie.

— Laisse-moi appeler Caroline, mon chéri. On verra demain, comment elle va réagir.

Le lendemain, Caroline réagit positivement, au grand soulagement de Marjolaine, et accepta gentiment de garder Samiha.

— La petite va m'aider plutôt que me nuire en s'occupant de Justine. Et ne t'en fais pas, Marjolaine, elle ne manquera pas l'école. Je la conduirai chaque matin et François la prendra en revenant de travailler, en fin d'après-midi. Profites-en donc, tu le mérites bien !

Une semaine plus tard, Marjolaine et Ivan mettaient le cap sur la Grèce en se tenant par la main.

En quelques jours, Marjolaine ne put visiter qu'une partie d'Athènes. Chaque matin, carte et guide touristiques en main, elle quittait son amoureux sur le coin de la rue en lui donnant rendez-vous en fin de journée, puis elle partait à la conquête de la ville. Elle grimpa l'Acropole, photographia le Parthénon, déambula dans le lacis de ruelles, escaliers et terrasses du quartier de Plaka, où elle fit quelques achats, et visita le Musée archéologique national. En fin de journée, fourbue, elle rencontrait son mari tout aussi exténué qu'elle d'avoir travaillé avec l'orchestre.

Un soir, ils se donnèrent rendez-vous au pied du téléphérique menant au petit bar situé au sommet du mont Lycabette. Ils prirent le temps de savourer une bière froide tout en admirant la vue imprenable sur la ville avant d'aller se restaurer dans un bistrot des alentours.

Contrairement à son habitude la veille d'un concert, Ivan semblait quelque peu préoccupé.

— Je me demande si, demain, je serai à la hauteur. Cette composition de Hiller ne fait pas partie de mon répertoire habituel, et je ne suis pas certain de l'avoir assimilée suffisamment pour lui rendre justice. Pour le reste, les autres solos, ça devrait aller, mais pour le concerto… hum !

— Si tu le présentes comme tu l'as fait chez nous l'autre jour, Ivan, tu gagneras la partie. Je ne sais pas à quoi tu songeais, à ce moment-là, mais tu m'as tout simplement subjuguée. Quelle interprétation, mon cher, tu m'as bouleversée ! Évidemment, l'orchestre était absent, mais il ne peut qu'ajouter au son du piano. J'ai tellement hâte de t'entendre de nouveau. Joue ce morceau pour moi, pour nous, joue-le pour tous ceux et celles que tu aimes, qui remplissent maintenant ta vie, et ça va aller, j'en suis convaincue.

— J'aime entendre ce que tu dis. Merci, mon amour. Demain soir, personne ne le saura, mais je vais l'interpréter pour toi toute seule. Uniquement pour toi.

Le lendemain matin, Marjolaine se rendit au Pirée et prit l'aéroglisseur jusqu'à l'île d'Hydra afin d'y passer une partie de la journée, histoire de visiter au moins une île grecque avant son retour au Canada. Il va sans dire qu'à cause de son travail à l'université, Ivan devait rentrer au plus vite après le concert, tel que stipulé dans son contrat, lorsqu'il devait s'éloigner de Montréal au milieu de la session.

Là, sur cette île minuscule fermée à la circulation automobile, Marjolaine grimpa jusqu'au monastère par le dédale de rues et de ruelles, et elle se recueillit pendant quelques minutes, seule dans la chapelle. Ce court moment d'arrêt lui fit du bien. Puis, elle s'achemina sur le sentier en bordure de la mer jusqu'au village, à l'autre bout de l'île, où avait lieu une fête. À son grand étonnement, la plupart des villageois y dansaient sur la place publique en se tenant bras dessus, bras dessous à la manière grecque, sur la musique de Mikis Theodorakis ♪ jouée par un petit orchestre local.

Elle n'osa s'approcher, mais, du haut de la falaise, elle les observa longuement, ces humains tout souriants liés les uns aux autres, transportés, grisés par la mélodie. Le bonheur, la joie de vivre se trouvaient là, sous ses yeux. Presque parfaits !

Elle reprit la navette pour Athènes vers cinq heures de l'après-midi, rassérénée. Elle n'oublierait jamais cette journée, seule avec elle-même, pas plus qu'elle n'oublierait cette soirée, quelques heures plus tard, au Megaron Musikis, le palais de la musique d'Athènes, où Ivan se surpassa comme jamais. N'avait-il pas promis de ne jouer que pour elle ?

Ils terminèrent cette dernière soirée en amoureux, silencieux mais comblés et ivres de joie de vivre, comme s'ils étaient tout seuls au monde dans le petit bar sur le toit de l'hôtel avec, comme toile de fond, le Parthénon illuminé au loin et brillant comme un phare

---

♪   Pour entendre ce morceau, visitez le www.quebec-amerique.com/coupsurcoup et sélectionnez l'extrait musical n° 24 : Musique du film *Zorba the Greek*, par Mikis Theodorakis.

sous les étoiles. Tout était là, leur amour, leur complicité, leur regard vers l'avenir.

Marjolaine se dit que le paradis devait ressembler à cela.

CHAPITRE 16

Le 31 octobre approchait à grands pas. Lydia n'arrivait pas à comprendre le sens de l'Halloween. Ivan avait beau lui expliquer qu'il s'agissait seulement d'une célébration pour démystifier la mort et amuser les petits et même les grands, elle hurlait de terreur à la vue de ces décorations affreuses et morbides accrochées aux devantures des maisons et des monstres suspendus aux vitrines des magasins. Quant à toutes ces citrouilles formant des monticules sur le trottoir devant l'épicerie du coin, elle considérait cela comme une aberration et un gaspillage éhonté de nourriture.

Si Tonia restait indifférente à l'Halloween, Anika, elle, réclamait à grands cris qu'on lui procure un costume afin de parader dans les rues, le soir du 31 octobre, à l'instar de ses compagnons de classe, ce que sa mère lui refusait catégoriquement.

— C'est quoi, cette fête-là, hein ? Une fête païenne, je suppose ?

— Tous ces déguisements, c'est seulement pour rire, maman. Les autres enfants, même s'ils proviennent de différents pays et n'en connaissent pas vraiment la signification, vont bien courir l'Halloween, eux! Pourquoi pas moi? Même à l'école, on prépare une activité spéciale pour l'occasion.

— Célébrer la mort, ça ne donne pas le goût de rire, il me semble. Jamais ni toi ni moi ne célébrerons la mort de ton père et de ta sœur, de quelle que façon que ce soit, as-tu compris? Surtout pas par cette ridicule mascarade! Tu peux oublier ça! Et n'insiste plus, s'il te plaît!

Quand le matin, veille des festivités, elle arriva au petit café du centre d'entraide pour immigrants où elle travaillait et vit les deux grandes pancartes suspendues au mur, l'une affichant un squelette avec les deux pieds installés sur une citrouille et l'autre, une vilaine sorcière dansant avec un fantôme, Lydia se mit à dérailler et à pousser de hauts cris, alertant tous les membres du personnel. Secrétaire, réceptionniste, travailleurs sociaux, professeurs et animateurs sortirent la tête de leur local avec curiosité, sans compter les immigrants en attente d'un rendez-vous dans les corridors. On avait expliqué à la plupart d'entre eux le sens de la fête, et tous s'étaient contentés de sourire avec une certaine condescendance.

Le directeur du centre d'entraide, après avoir vainement tenté de maîtriser Lydia, prit la décision de la renvoyer chez elle pour quelques jours.

— Allez vous reposer, chère madame, vous en avez rudement besoin. On se reverra jeudi prochain.

Il fit venir un taxi, glissa un billet dans la main du chauffeur en le priant de ramener la dame à son domicile. Devenue hystérique, Lydia quitta le centre en vociférant de plus belle, en croate cette fois, le poing en l'air et la bave au menton. Une fois devant sa maison et le taxi reparti, au lieu de pénétrer à l'intérieur, elle pivota sur ses talons et s'en fut à l'épicerie du coin où elle commença à prendre à pleines mains des citrouilles installées sur l'étal extérieur et à les lancer plus loin sur le trottoir, au risque d'attraper quelques passants ou même quelques voitures.

Le propriétaire eut beau essayer de la calmer et de l'arrêter d'agir de la sorte, rien n'y fit. La femme, n'arrivant plus à reprendre ses sens, se déchaînait comme une démone, au point où on décida d'appeler les policiers en renfort. C'est finalement en ambulance, maintenue par un infirmier et par des sangles aux poignets, que Lydia Penkala fit son entrée, quelques minutes plus tard, à l'hôpital du quartier, à l'unité de psychiatrie.

Dieu merci, le puissant sédatif aussitôt administré fit son effet, et elle put enfin recouvrer quelque peu ses esprits. Comme on n'avait repéré aucune pièce d'identité ni carte d'assurance maladie dans ses objets personnels, une travailleuse sociale vint, quelques instants plus tard, la questionner afin de connaître son lieu de résidence, à tout le moins pour tenter de trouver une personne-ressource et l'aviser de son hospitalisation. Si Lydia n'hésita pas à donner son adresse et son numéro de téléphone, elle se garda bien de mentionner l'existence de son frère, sans doute dans l'espoir de lui dissimuler ce déplorable incident.

— Ça ne répond pas chez vous, madame. Une autre personne habite-t-elle avec vous ? Et si oui, comment la joindre ?

— Mes deux filles vivent avec moi, mais elles ne reviennent de l'école que vers quatre heures. J'ai le temps de rentrer chez moi avant leur retour. Ne vous inquiétez pas, je ne recommencerai pas.

— Vous êtes présentement sous l'effet d'un puissant calmant, ma chère dame. Nous allons d'abord vous faire évaluer par un psychiatre et vous garder en observation au moins jusqu'à demain. Quelqu'un d'autre pourrait-il s'occuper de vos deux filles durant votre absence ?

— La plus vieille a dix-huit ans. Elle et sa sœur peuvent très bien se débrouiller toutes seules.

— Vous n'avez pas, non plus, de carte d'assurance maladie.

— Euh… pas encore! Je l'aurai dans quelques semaines seulement.

— Il y aura donc des frais inhérents.

— Pas grave, mon frère va s'en occuper.

— Votre frère? Pouvez-vous me donner son numéro de téléphone? J'aimerais bien lui parler.

— Jamais de la vie! Euh… désolée, je ne le connais pas par cœur.

Lydia mentait. Tant pis! Elle n'allait pas mêler son frère à une crisette de rien du tout, quand même! Ivan et Marjolaine en avaient assez fait pour elle. Et ils venaient tout juste de revenir de Grèce. Non, elle tenterait plutôt de s'enfuir de l'hôpital à la première occasion, dès que cette travailleuse sociale lui ficherait la paix avec ses satanées questions.

Hélas, ne s'enfuit pas de l'unité de psychiatrie qui veut… À la fin de l'après-midi, Lydia n'avait toujours pas quitté l'aile psychiatrique, n'avait vu aucun médecin et trépignait d'impatience en dépit de l'injection d'un nouveau tranquillisant. Quel ne fut pas son étonnement quand elle vit entrer Ivan et Marjolaine dans sa chambre!

— Quoi! Vous deux ici! Comment vous ont-ils dénichés? J'ai pourtant refusé de donner vos coordonnées, cet avant-midi.

— Tu as oublié, ma grande sœur, que tu les avais inscrites dans ton dossier d'immigration à la rubrique *Personne à aviser en cas d'urgence*. L'hôpital a fait ses petites recherches et n'a pas mis de temps à nous appeler en début d'après-midi pour nous avertir que tu te trouvais au service de psychiatrie. Comme j'enseignais à l'université, Marjolaine est allée elle-même chercher Samiha à l'école pour la ramener chez Caroline avant de nous rendre ici.

— Et... et mes filles?

— Nous avons laissé une note chez toi, sur la table de la cuisine. Elles devraient arriver d'une minute à l'autre. Que se passe-t-il donc, Lydia?

— Rien de grave... J'ai seulement un peu perdu la carte, ce matin, au centre d'entraide. Je ne peux pas supporter toute cette mise en scène de l'Halloween. Ce... ça... ça me rappelle trop la mort de Joseph et d'Ela. Comment pourrais-je en rire? Alors, comme une belle idiote, j'ai lancé quelques citrouilles sur le trottoir. Les policiers sont venus et...

Lydia détourna soudain la tête, incapable d'en dire davantage. Marjolaine s'approcha alors du lit et se pencha au-dessus d'elle avec le sentiment de frôler le plus grand chagrin du monde. Comme la vie se montrait injuste, parfois... Cette pauvre femme se sentait déstabilisée à l'autre bout de la planète, peu après avoir perdu son enfant et l'homme de sa vie. N'y avait-il pas là de quoi devenir fou, surtout en songeant au drame qui s'était passé quelque vingt-cinq années auparavant?

— Nous sommes là pour toi, Lydia, tu n'es pas toute seule au monde. En sortant de l'hôpital, peut-être préférerais-tu revenir vivre chez nous pendant encore un certain temps, avant de retourner à ton appartement?

— Pas du tout! J'aime ce logement, mes filles se sont vite adaptées à leur quartier et à leur classe de français, et moi, à mon travail au café du centre d'entraide. Hélas, je réussis mal à accepter le départ de Joseph et d'Ela, sans plus. C'était trop subit, trop imprévu, trop révoltant. Je… je me sens incapable de faire mon deuil. Et cette satanée fête d'Halloween qui remet tout en question, leur perte, et même celle de mes parents, jadis… Tout cela représente trop pour moi, j'ai du mal à le supporter, je me sens exaspérée. Peux-tu comprendre ça, mon petit frère?

— Bien sûr! Moi aussi, il m'arrive encore de me révolter. Mais… sais-tu ce que signifie le mot « Halloween », Lydia? répliqua Ivan.

— Non, aucune idée.

— *All Hallows'Eve*, en langue anglaise, signifie « veille de la Toussaint ». Et si ton Joseph et ta Ela se trouvaient maintenant parmi les saints, hein? As-tu déjà songé à cela? Que dirais-tu de fêter leur bonheur éternel en te moquant de la mort? Si elle te les a cruellement enlevés, elle les aura au moins menés vers la paix promise. Pourquoi ne pas s'en réjouir? Ne serait-ce pas te rendre leur mort plus acceptable que de penser qu'ils se trouvent enfin heureux, au beau milieu de tous les saints du ciel?

Lydia avait bondi et écoutait son frère religieusement.

— La fête de la Toussaint, le premier novembre, je n'y avais pas songé. Tu as probablement raison, frérot. Joseph et Ela comptent sûrement parmi les saints, je n'en doute pas un instant. Papa et maman aussi. Ils doivent être heureux, là-haut, tous ensemble. C'est moi qui… que…

Elle se mit à larmoyer, la tête dans les mains, ce qui n'empêcha pas Ivan d'enchaîner aussitôt :

— Si demain, nous, les vivants, on fêtait leur départ vers le pays de tous les saints, qu'en dirais-tu? Anika et notre Samiha pourraient parcourir les rues et récolter des bonbons sous la surveillance de Tonia, et nous, nous pourrions prendre un bon petit souper en répondant aux enfants qui sonneront à notre porte. Je pense que de l'au-delà, nos parents, avec Joseph et Ela, seraient contents de nous voir aussi joyeux plutôt que de pleurnicher comme des mauviettes. Que penses-tu de ça, ma grande sœur ?

Lydia n'eut pas le temps de répondre que, sur ces entrefaites, ses deux filles se présentèrent, alertées, à la porte de la chambre.

— Oh ! maman, que se passe-t-il ?

— Pas grand-chose, mes amours. On devrait me libérer demain matin au plus tard, assurément avec, en main, une ordonnance de médicaments à prendre, après avoir vu le psychiatre. On pourrait aller célébrer l'Halloween tous ensemble chez oncle Ivan et tante Marjolaine. Ça vous dit quelque chose ?

— Quoi !? On va fêter l'Halloween ? Mais… tu ne voulais rien entendre, encore ce matin, maman. Je n'ai même pas de costume, moi ! s'écria Anika.

— Pas grave, répondit Marjolaine, nous irons en choisir un tout à l'heure, en sortant d'ici. Les magasins ne ferment qu'à neuf heures ce soir et il en reste sûrement sur les tablettes. Tu pourras même le porter à l'école demain matin. Et toi, Tonia, veux-tu un costume aussi ?

— Oh non ! Je me contenterai d'accompagner et de surveiller les deux petites dans les rues du quartier.

On quitta l'hôpital sur un air de fête. Lydia les regarda partir avec un regard plus paisible et serein. La tempête semblait bel et bien terminée.

— Merci d'être là, Ivan et Marjolaine. Un million de fois merci !

Ivan avait eu raison, une fois de plus. Lydia devait s'adapter à son nouveau pays, cesser d'interpréter les choses à sa manière et arrêter d'empoisonner ses filles avec sa maudite dépression au lieu de se faire soigner. La vie continuait, elle devait se reprendre en main et absorber ses médicaments prescrits, ce qu'elle négligeait inconsidérément depuis trop longtemps.

Comme prévu, elle reçut son congé de l'hôpital le lendemain midi avec non seulement une ordonnance du spécialiste, mais un autre rendez-vous dans les prochains jours. Elle prit la résolution de s'y rendre fidèlement et de respecter sa médication. Le bonheur de tous en dépendait. On la laissa plier bagage, même si elle ne possédait pas de carte d'assurance maladie, Ivan s'étant porté garant de tous les frais encourus.

Marjolaine, venue chercher Lydia à l'hôpital, refusa alors de la mener à son logement d'Hochelaga-Maisonneuve.

— Non, non, tu y retourneras demain seulement. Nous avons pris l'initiative d'avertir ton patron de ton absence, ce matin. Il t'attend jeudi prochain. Tu t'en viens sur la rue Durham. J'ai besoin de ton aide pour préparer notre souper et les friandises à offrir aux enfants.

Lydia ne répondit pas, trop contente, au fond, de ne pas retourner immédiatement dans son logement. On prépara donc un bol de bonbons pour les petits monstres qui viendraient sonner à la porte. Pour les grands, une superbe soupe à l'oignon serait servie dans des citrouilles miniatures que Lydia s'employa à évider elle-même. Puis, on mit au four un rôti de porc entouré de légumes. Pour le dessert, Marjolaine avait prévu un magnifique gâteau recouvert d'un glaçage orange décoré de chocolat noir, comme par hasard.

Le temps venu, Samiha et Anika se déguisèrent, l'une en zèbre et l'autre en lion. Elles étaient toutes les deux adorables et fort excitées.

On s'apprêtait à partir quand Tonia, un peu gênée, demanda un sursis de quelques minutes pour attendre l'arrivée de Rémi. Rémi? Il n'avait rien à voir avec l'Halloween, lui! D'ailleurs, le vendredi soir, il ne rentrait que très rarement de bonne heure.

— C'est que… eh bien… euh… il a promis d'escorter les deux petites avec moi dans les rues.

Ah? Ni Marjolaine ni Ivan ne savaient que Rémi était en communication avec la jeune fille. Comme s'il avait voulu le démontrer précisément à ce moment-là, le garçon arriva sur ces entrefaites, déplorant le trafic épouvantable en ce soir particulier. À la grande surprise de tous, il embrassa la jolie Croate sur la bouche avec fougue, avant de saluer Marjolaine, Lydia et Ivan, tous les trois affichant un air à la fois étonné et content. À bien y songer, on ne voyait plus la fameuse Marie-Hélène dans le décor depuis un certain temps, mais tous ignoraient que Rémi l'avait déjà remplacée, et par Tonia de surcroît.

— Eh oui! Tonia et moi, on se fréquente depuis quelques semaines. On a gardé le secret depuis le début, mais là, on n'a pas le choix de vous l'annoncer, on dirait!

— Eh bien! Tu parles d'une bonne nouvelle!

— Ouais… On a eu un coup de foudre dès le premier jour, mais Rémi a mis du temps à se décider, crut bon d'ajouter une Tonia rayonnante.

On allait féliciter les amoureux quand la sonnerie de la porte résonna. Marjolaine s'empressa d'ouvrir, s'attendant à recevoir les premiers enfants du quartier. Elle lança un cri de joie en voyant Justine déguisée en ange donnant la main à un archange ressemblant étrangement à sa mère Caroline. À côté d'elles, François tenait, endormi dans ses bras et enveloppé dans une couverture orange, le bébé Charles portant un bonnet évoquant un chaton.

— Ah, comme vous êtes adorables ! Je n'ai jamais pensé que vous alliez passer l'Halloween par ici ! Joignez-vous aux autres, on va vous attendre pour le souper. Et toi, François, dépêche-toi d'entrer et de me montrer ce minou-là que je n'ai pas vu depuis une semaine.

Après avoir longuement tripoté le petit, Marjolaine et son fils s'en furent à la cuisine en songeant que le vrai bonheur pouvait exister réellement. Ivan, retiré dans un coin, muet et immobile, regarda sa femme amoureusement.

Mine de rien, Lydia vint se blottir contre lui. Silencieusement, il passa tendrement son bras autour d'elle.

— Merci d'être là…

CHAPITRE 17

Par malheur et malgré les espoirs de chacun, les problèmes de santé mentale de Lydia n'allèrent pas en s'améliorant. Comme pour la fête de l'Halloween, les premiers flocons de la saison, un mois plus tard, déclenchèrent un effet néfaste chez la Croate. Alors que tous les Québécois, au moins pour la première bordée, s'entendaient pour admirer la beauté du paysage, Lydia, elle, pestait déjà intérieurement.

Sans doute ce tapis blanc lui rappelait-il ses années à Zagreb, après s'être enfuie de Dubrovnik, au moment de l'arrestation de ses parents. Autant cette dernière ville jouissait d'un climat méditerranéen et tempéré à longueur d'année, autant le sommet des montagnes environnantes était envahi par la neige dès le mois de décembre, et ce, pour toute la durée de l'hiver. Mais au moins, à Zagreb, on servait des marrons chauds sur le coin des rues, et certaines terrasses chauffées demeuraient ouvertes durant la saison froide. Tandis qu'à Montréal, l'avait-on prévenue, les rigueurs du climat exigeaient d'enfermer tout le monde à l'intérieur pendant de longs mois, sans parler de l'état glacé des trottoirs où on risquait de se fracturer les os à tout moment et les voies de circulation enneigées et glissantes causant un nombre effarant d'accidents.

— Ici, il faut hiberner comme les ours, avait dit Ivan avec un sourire en coin.

En réalité, Lydia ne se plaisait guère nulle part. On avait finalement réussi à l'introduire dans une classe de perfectionnement en français, puisqu'elle maîtrisait cette langue de plus en plus. À vrai dire, elle se demandait ce qu'elle fabriquait là, chaque matin, parmi des étrangers avec lesquels elle n'avait même pas envie de lier connaissance. Heureusement, son patron avait accepté de lui conserver un emploi à temps partiel durant les onze semaines d'école que durait le programme.

Lydia s'y rendait donc davantage pour se désennuyer que par souci d'améliorer son français. Ce matin-là, en guise d'introduction, le professeur demanda aux élèves à quel endroit les Québécois se rendaient pour aller voir la mer durant l'hiver. Aucun, dans le groupe composé d'un Chilien, d'une Iranienne, de deux Italiens, d'un Bhoutanais, d'une Congolaise, d'un Népalais et de deux Costaricaines, ne connaissait la réponse, pas plus que Lydia, d'ailleurs. On étala alors la carte de l'Amérique du Nord sur la table, et tous s'approchèrent.

Hélas, Lydia ne laissa pas le temps au prof d'expliquer quoi que ce soit, car sa verte réplique s'avérait d'une tout autre teneur.

— Monsieur, pour moi, pas très important la mer où allent les Québécois durant l'hiver. Moi, je reste ici. J'aimerais plutôt savoir comment ils se gardent au chaud pendant tous ces mois, euh… infinissables. « I fa frette icitte ! » C'est la première expression que j'ai apprise au Québec, vous savez ! Et « On se les gèle ! » est la deuxième. Je me demande bien quoi on se gèle de si particulier.

— Ces formulations sont de l'argot québécois, madame, mais il ne s'agit pas d'un très bon français. On se gèle les… euh… À bien y penser, mieux vaut rester au chaud tout entier !

Tous se mirent à rire, ce qui n'empêcha pas Lydia de poursuivre sa diatribe.

— Et pourquoi vous pas nous apprendre des choses plus utiles, hein ? Où aller se faire guérir si on est malade, par exemple.

— Soigner, madame, soigner.

Lydia ne porta pas attention à la correction apportée par le professeur et continua sur le même ton.

— Comment faire l'élévation ou, plutôt, l'éducation de nos enfants, ou encore la façon de remplir une demande d'emploi, et comment… euh… atteindre – est-ce bien le bon mot ? – atteindre notre permis de conduire. Il faudrait aussi nous expliquer la valeur des diplômes que nous amenons… non… que nous rapportons de nos pays. Il ne faut pas oublier non plus le terrible accent québécois tout à fait incompréhensible pour nous. Pour moi, en tout cas. Ce qu'ils peuvent parler vite et mal prononcer, ces gens-là…

— Comme chaque matin, j'avais l'intention d'arriver à tout cela dans quelques minutes. Ne vous montrez pas si impatiente, madame, et laissez-moi donc apporter d'abord une petite diversion ensoleillée. Mais puisque vous insistez, on se réchauffera autrement.

Le professeur jeta un regard meurtrier à Lydia et replia sa carte, ce que sembla approuver tacitement le reste de la classe.

— Vous voulez traiter de l'actualité ? On en parle tous les jours, pourtant, durant ces leçons. Alors, allons donc immédiatement du côté de la réalité, puisque vous y tenez tant que ça. Que pensez-vous des nouvelles d'hier soir à la télévision, où on a annoncé qu'à l'aéroport de Montréal, les policiers ont fait une importante saisie de drogue en provenance de la Colombie?

Lydia ne mit qu'une seconde à répondre, avant tous les autres.

— Moi, je pense Québec aussi corrompu que Colombie, mais… comment dire? Il se cache! Les Colombiens destinent leur production à les consommateurs québécois. Pas de drogués, pas de drogue en Colombie, hein? On présente Québec aux immigrants comme un lieu où tout est parfait. Pas si vrai que ça, je crois.

Le professeur secoua la tête, un peu décontenancé. Il chercha du regard l'appui des autres élèves, tout en jetant des yeux courroucés à Lydia, rouge de colère, mais tout le monde choisit de se taire.

— Allons, madame, calmez-vous! Laissons donc les trafiquants tranquilles et parlons plutôt de la neige qui nous a envahis à pleines pelletées, ce matin. Au fait, quelqu'un connaît-il la signification du mot «pelletées»?

— Allez au diable, monsieur!

— Je vous en prie, madame Lydia, cessez de vous énerver à ce point. Regardez vos compagnons et compagnes de classe: aucun n'a encore réussi à prononcer une seule phrase, ce matin. Ils vous écoutent, estomaqués. Et pendant qu'on y est, que veut dire le mot «estomaqués», mesdames et messieurs?

Nul ne répondit, mais on se montra encore plus estomaqué quand Lydia se leva d'un bond, ramassa ses affaires et annonça qu'elle quittait la classe.

— Je m'en vais, monsieur! Je ne peux plus supporter vos… euh… vos paroles stupides et insignifiantes. Tiens, est-ce que quelqu'un ici connaît le sens du terme «insignifiantes»?

— Au revoir, Lydia. N'oubliez pas de revenir demain… ou un jour meilleur !

Tous la regardèrent partir sans broncher, se retenant de prononcer un « Ouf ! » bien justifié.

Lydia ne revint plus. À part les difficultés de l'accent, elle possédait maintenant suffisamment de français pour se débrouiller. Bien sûr, elle avait eu à vivre quelques aventures liées à la langue. Ainsi, l'autre jour, à la pharmacie, quand elle avait demandé où se trouvait le dentifrice, mot prononcé avec un tel accent qu'on l'avait d'abord priée de le répéter, puis de le reprendre plus lentement. Finalement, on lui avait demandé de s'exprimer en français ! Évidemment, elle avait laissé la vendeuse en plan et avait pivoté sur ses talons en la traitant d'« épaisse » et de « dure de comprenure », autres expressions québécoises apprises et retenues dès son arrivée au Québec. Et que dire de ce matin, alors que, dans le hall d'entrée de sa résidence, elle tentait de socialiser avec sa voisine et la femme s'était mise à rire quand la Croate lui avait affirmé qu'« il nageait à plein temps » dehors !

Lydia reprit donc, le jour même, son travail à temps plein au café du centre d'entraide pour immigrants. Là, au moins, elle rencontrait continuellement plein de gens avec qui, sinon se lier d'amitié, à tout le moins entretenir une certaine forme de complicité. Ne partageaient-ils pas les mêmes angoisses et les mêmes problèmes d'adaptation ? La plupart étaient venus chercher la paix et l'ordre au Québec, de même que la sécurité financière. Lydia, elle, ne cherchait que la consolation. Uniquement, strictement, exclusivement la consolation. Et elle ne la trouvait point. Consolation d'avoir perdu son mari, sa fille, sa maison, son quartier, son mode de vie, son métier… et maintenant son pays et sa langue.

Mis à part sa relation familiale avec Marjolaine et Ivan, elle n'arrivait pas à se lier d'amitié avec d'autres Québécois. Elle mettait cela sur le compte d'un méchant je-m'en-foutisme de la part des gens d'ici qu'elle taxait d'indifférence, d'individualisme, d'insociabilité. Selon elle, les Québécois vivaient dans un monde parallèle à celui des immigrants, une barrière appelée «méfiance» les séparant de part et d'autre, en plus de la langue. En général, les habitants de ce pays ne posaient pas de questions aux nouveaux venus et ils ne leur ouvraient que rarement la porte de leurs maisons. Marjolaine ignorait si sa belle-sœur avait tort ou raison en entretenant une telle opinion sur les Québécois.

À la longue, Lydia en vint pourtant à se demander si ce n'était pas plutôt à cause de sa personnalité qu'on la laissait ainsi en plan. Oh! les autres parents la saluaient bien quand elle assistait aux parties de ballon-panier auxquelles Anika s'était inscrite, mais les relations s'arrêtaient là, à la limite des estrades du parc ou du gymnase. Elle n'en pouvait plus de cette situation. Au moins, chez elle, à Dubrovnik, elle connaissait tous les voisins et pouvait sonner à leur porte à toute heure du jour ou de la nuit. Ici, elle ne savait même pas qui habitait à côté, ni sur les paliers du haut et du bas. Rien! Si par hasard on se croisait dans le corridor ou l'escalier, on se contentait de se saluer d'un signe de tête, sans plus. Ou bien, on se disait quelques mots sur le temps qu'il fait. À croire que les Québécois n'avaient dans la vie qu'une seule et unique préoccupation allant jusqu'à l'obsession : la météo, la sempiternelle et maudite météo !

N'eussent été ses filles qui, elles, semblaient mieux s'adapter, Lydia aurait refait ses bagages depuis longtemps. Mais, par amour pour Anika et Tonia, elle persistait à demeurer au Québec et continuait d'avaler ses antidépresseurs, convaincue qu'ils devenaient de plus en plus insuffisants.

Chaque matin, elle se rendait au travail comme une automate. Servir des cafés aux immigrants en attente d'une entrevue, quelle platitude, quelle banalité ! Alors qu'à Dubrovnik, elle exécutait au moins, même s'il était mal rémunéré, un travail professionnel reconnu d'enseignante au primaire, un emploi intéressant, passionnant, valorisant, apprécié par les élèves et leurs parents.

Ici, elle se sentait perpétuellement en colère et rien ne l'intéressait. Elle avait perdu sa joie de vivre. Combien de nuits blanches avait-elle passées à brasser des idées noires, à se dire et se redire qu'elle ne voyait plus de raison de continuer ainsi et qu'il valait mieux mourir ?

C'est pourquoi, quelques jours après la scène dans la classe de perfectionnement en français, elle prit elle-même la décision de retourner consulter son psychiatre par mesure de prudence. Ses deux filles avaient besoin d'elle, il n'était pas question de les abandonner. Les pauvres petites avaient déjà suffisamment perdu, elle n'allait pas leur imposer un scénario semblable au sien durant sa jeunesse. Comme son prochain rendez-vous était prévu seulement pour le mois suivant, elle insista pour voir le médecin immédiatement. Mais la secrétaire de la clinique s'obstina.

— Je suis désolée, madame. Rendez-vous à l'hôpital si vous en sentez vraiment l'urgence. Là, on va pouvoir vous aider.

Lydia se rendit donc d'elle-même à l'hôpital, sans en informer personne. Un psychiatre constata qu'elle avait en effet besoin d'aide. On doubla sa dose de médicaments et on lui donna une série de rendez-vous rapprochés dans les prochaines semaines. Si elle y manquait une seule fois, ce serait l'hospitalisation pour une longue période. On l'obligea aussi à aviser, non pas ses filles mais son frère et sa belle-sœur, de sa situation alarmante et de ses idées suicidaires.

Si Ivan prit froidement la nouvelle, convaincu qu'il s'agissait d'un bon signe, vu que sa sœur avait elle-même fait les démarches pour s'en sortir, Marjolaine, elle, céda littéralement à la panique. S'il fallait que… Elle augmenta les invitations à souper, multiplia les activités avec les Lesic et les sorties en famille en plein air ou ailleurs. Elle s'offrit même pour conduire Lydia à ses rendez-vous chez le psychiatre et prit l'habitude d'aller très souvent boire un café avec elle au centre d'entraide pour immigrants d'Hochelaga-Maisonneuve, afin que sa belle-sœur ne se sente jamais seule. Tant pis pour son prochain roman, il attendrait.

L'approche du temps des Fêtes apporta quelques dérivatifs. « À moins que ce ne soit un temps plus dangereux pour le suicide », se disait Marjolaine. On assista alors à de nombreux spectacles de Noël. Lydia sembla apprécier le ballet *Casse-Noisette* à la Place des Arts, mais encore davantage le concert de Noël offert dans une église par une grande chorale de Montréal. Quant au spectacle de marionnettes pour les tout-petits et à la parade du père Noël, on y assista, même si Samiha et surtout Anika avaient toutes deux atteint un âge où elles n'y croyaient plus. L'enthousiasme de la foule et la mine réjouie des enfants semblèrent tout de même combler la mère croate.

Mais le plus grand plaisir de Lydia, autant que celui de son frère, il faut bien le dire, consista à se rendre dans une ferme de la campagne environnante de Montréal pour y chercher le sapin qui servirait d'arbre de Noël. Une fois sur place, on faisait monter les clients dans un traîneau tiré par un cheval pour les conduire, à travers les champs enneigés, jusqu'aux abords de la forêt. Là, chacun choisissait son arbre, que des employés taillaient à l'aide d'un énorme godendard, scie manipulée à deux. Évidemment, Ivan se procura deux sapins et offrit le second à sa sœur. Au retour, on s'arrêta dans une boutique de Noël afin d'y acheter de jolies décorations pour Lydia, qui croyait vivre un rêve. Pour Noël, elle posséderait chez elle un magnifique arbre rempli de lumières multicolores, de guirlandes, de boules scintillantes et même de… cristaux de neige d'argent ! En la voyant choisir cette neige, Marjolaine ne put s'empêcher de s'écrier :

— Que voilà une belle façon d'apprivoiser l'hiver, la belle-sœur !

En effet, petit à petit, Lydia sembla oublier ses idées déprimantes. Mine de rien, Marjolaine la regardait se réjouir et renouer enfin avec une certaine joie de vivre. Ce plaisir du temps des Fêtes mettrait peut-être un terme à son chagrin et marquerait, elle le souhaitait ardemment, une nouvelle étape de sa vie, un tournant susceptible de se renouveler dorénavant chaque année.

Ce jour-là, les jeunes se laissaient emballer. Anika et Samiha ne tenaient plus en place, les plus vieux, Rémi et Tonia, participaient à l'excitation du groupe, heureux que leur statut d'amoureux fut reconnu.

— Pourvu qu'on ne devienne pas grands-mères avant le temps ! s'étaient écrié en chœur Marjolaine et Lydia, en apprenant la nouvelle.

— Aucun danger ! avait protesté Rémi. Tonia prend la pilule et moi, je traîne toujours des condoms.

À vrai dire, Lydia acceptait plutôt difficilement, en raison de son éducation religieuse et des mœurs de son ex-pays, que sa fille vive une relation avec un garçon en dehors du mariage, ce qui paraissait largement admis au Québec. En Croatie, tous observaient rigoureusement les consignes de l'Église catholique et ne pratiquaient les gestes de l'amour qu'une fois mariés. Elle n'approuvait pas, non plus, le nombre effarant de divorces et de ménages reconstitués rencontrés ici, convaincue de la déchéance évidente du code de moralité des Québécois. Et que dire des enfants éparpillés d'une famille à l'autre à cause de la séparation de leurs parents, dans ce schéma qu'elle considérait comme néfaste et pour le moins particulier? « La durabilité, la continuité, la stabilité, la sécurité, ça n'existe donc plus pour les petits enfants du Québec? », se demandait-elle. Certains parents ne semblaient pas éprouver pour eux plus de considération que pour les personnes âgées reléguées automatiquement dans des foyers d'hébergement dès qu'ils manifestaient des besoins spécifiques, sans plus s'en préoccuper.

Un endroit parfait, le Québec? Elle en était de moins en moins convaincue, quoique réalisant au plus profond d'elle-même qu'elle se devait d'y découvrir, ou même de s'inventer, une nouvelle recette de bonheur pour elle et pour ses filles. De toute façon, elle n'avait pas le choix de se soumettre aux manières et aux pratiques de cette société, sinon la dépression reprendrait de nouveau de l'ampleur. Elle ne le voulait plus.

Ce soir-là, au retour de la cueillette des sapins, quand tous commencèrent à suspendre des babioles aux branches de l'arbre de Noël, Lydia se mit à pleurnicher de nouveau. Mais cette fois, c'était de joie, Marjolaine le savait, le sentait. Si elle ne pouvait encore crier victoire sur la morosité de Lydia, elle n'en était pas loin. Elle s'approcha alors de sa belle-sœur et déposa un baiser sur sa joue. La dépression profonde de Lydia Penkala dépendait bien davantage de sa capacité d'adaptation au Québec que d'un réel problème de santé mentale.

Le vent continua de souffler dans la bonne direction quand vint le temps des concerts de fin de session, l'avant-dernière semaine de décembre. Mélanie Trudelle avait organisé un petit récital, le dimanche après-midi d'avant Noël, dans la salle communautaire d'une résidence pour personnes âgées dont faisait partie la grand-mère de l'un de ses élèves. Les vieux y vinrent nombreux, qui appuyés sur une canne ou un déambulateur, qui dans un fauteuil roulant, en plus des parents de la dizaine d'élèves de mademoiselle Trudelle.

Tous s'y produisirent avec succès, autant Anika que Samiha. Les deux cousines, après avoir brillamment présenté chacune une pièce, l'une à la suite de l'autre, jouèrent ensemble et à la perfection un très joli duo, au grand plaisir des deux mères et d'Ivan, surtout quand les fillettes se méritèrent un tonnerre d'applaudissements, tout juste avant l'intermission. Ivan ne put s'empêcher d'émettre tout haut la pensée qui l'effleura.

— Ah! si mon père et ma mère voyaient ça…

Il aurait mieux fait de se taire. Lydia recommença à renifler de plus belle en entendant ces mots. Marjolaine s'empressa de la prendre par les épaules en la priant de se calmer.

— Mais Lydia, je suis certaine que, du haut de leur nuage, tes parents ont entendu leurs petites-filles. Même chose pour Joseph et Ela. Et ils sont fiers de les avoir vues jouer non seulement pour nous, mais aussi pour tous ces vieux-là qui ont la chance d'assister à un tel récital de Noël, au lieu de rester confinés dans la solitude de leur chambre. Cela m'apparaît trop merveilleux pour pleurer, Lydia. Au contraire, la relève se trouve là, nos enfants vont perpétuer notre mémoire, nous prolonger, poursuivre nos rêves, nos ambitions, nos bonnes actions. On doit leur donner un coup de main et non pleurer de regret pour les choses qu'on ne peut changer.

— Tu as raison, Marjolaine. Excuse mon trop-plein d'émotion.

— Tu n'as pas à t'excuser, je réagirais probablement de la même manière si j'avais vécu ta vie et chacun de tes deuils. Sans le vouloir, Ivan a réveillé trop de souvenirs en évoquant votre père et votre mère.

Allons, viens ! Il y a un buffet installé au fond de la salle, allons nous servir un petit morceau de bûche.

— De bûche ? Qu'est-ce que c'est ? Si je me rappelle bien mes leçons, une bûche constitue une partie coupée d'un arbre… On mange du bois, au Québec ? Dieu du ciel, il ne manquait plus que ça !

— Ha ! ha ! Tu verras !

Le récital de Tonia, duo pour piano et flûte, donné le lendemain soir dans une petite salle du Conservatoire de musique de Montréal, fut tout aussi exaltant. Accompagnée au piano par un étudiant, la jeune fille interpréta une *Pavane* de Fauré♪. Elle s'en tira merveilleusement bien malgré sa nervosité évidente. Elle se voyait mal se produisant parmi des élèves inscrits au bac et en maîtrise en musique, mais elle releva le défi haut la main. Même si elle n'allait entrer au programme de concentration musique du cégep qu'à la prochaine session, compte tenu de son manque de compétences en français, son prof avait insisté pour qu'elle participe au concert malgré le peu d'heures de leçons reçues depuis son arrivée au Québec.

Ivan ne tarissait pas d'éloges.

— Cette petite-là ira loin, aucun doute là-dessus !

Rémi s'empressa de lui répondre, avec un sourire en coin :

— Tu as parfaitement raison, mon cher ! Et pas qu'en musique !

Quelques jours plus tard, eurent lieu les fêtes de Noël et du jour de l'An, à la mesure de ce que furent les joyeux préparatifs, sous le signe d'un bonheur familial intense.

♪   Pour entendre ce morceau, visitez le www.quebec-amerique.com/coupsurcoup et sélectionnez l'extrait musical n° 25 : *Pavane pour piano et flûte* de Gabriel Fauré.

CHAPITRE 18

Janvier apporta deux excellentes nouvelles à Rémi : l'aboutissement total et définitif de sa sentence en même temps que le terme, enfin ! de ses études collégiales avec, en prime, un merveilleux diplôme en intervention sociale. À la vérité, la fin de sa peine ne débouchait pas sur un réel renouveau dans son existence, puisqu'il était libéré conditionnellement depuis déjà longtemps. Seules les conditions tombaient. Le jeune homme redevenait officiellement un citoyen à part entière, libre et soumis aux mêmes règles que tout le monde.

Une tache sombre resterait toutefois marquée au tableau : Rémi Legendre possédait définitivement un casier judiciaire. À moins de demander la suspension de ce relevé de ses antécédents dans quelques années, ce que l'on appelait en d'autres termes « obtenir le pardon », il se devrait d'en souligner l'existence dans son curriculum vitæ et d'en subir les conséquences pour le reste de ses jours.

Cela ne mit pas de temps à venir : ses trois premières demandes d'emploi dans des organismes communautaires furent refusées justement à cause de ce casier, au grand désarroi de Marjolaine. Elle tenta pourtant de ne pas manifester son abattement, mais cela n'échappa pas au flair du jeune homme.

— T'en fais pas, maman, il y aura bien quelque chose pour moi quelque part, voyons! Il faut se montrer patients, c'est tout!

Ce «quelque chose quelque part» survint un mois plus tard, lorsqu'un assistant social du centre Les Papillons de la Liberté remit sa démission parce qu'on lui offrait une promotion alléchante ailleurs. Jean-Claude n'hésita pas une seconde à recommander Rémi au conseil d'administration.

— Ce petit gars-là a déjà fait grand bien aux résidants comme étudiant avec son beau projet de fin d'année, en plus de s'être sans cesse dévoué comme travailleur volontaire. Puisqu'il possède maintenant un diplôme collégial, au lieu de le considérer comme un bénévole, on n'a qu'à changer son statut et à le payer pour le bon travail qu'il va certainement continuer d'accomplir chez nous. Je réponds de lui, de toute façon.

C'est ainsi que Rémi trouva son premier emploi pour lequel il n'éprouva aucun besoin d'adaptation. Fier de gagner enfin un salaire raisonnable, il ne mit pas de temps à manifester à sa mère son envie de se louer un appartement et de voler de ses propres ailes. Après tout, il avait vingt-deux ans.

— Pas trop loin d'ici, maman. Je choisirai un petit logement quelque part entre chez nous et chez Tonia, sinon je vais trop m'ennuyer de toi. Mais… tu peux comprendre ça, n'est-ce pas? Me voilà enfin entièrement libre, et il est plus que temps pour moi de faire mes preuves et d'amorcer quelque chose de bien dans ma vie.

— Mais oui, Rémi, je peux très bien comprendre cela, même si j'ai le cœur brisé de te voir partir de la maison.

Et elle pouvait facilement imaginer la suite. Elle se produisit, cette suite, à peine quelques semaines après le départ du jeune homme : Tonia acceptait d'habiter avec son amoureux, au grand affolement de sa mère. À vrai dire, Lydia n'allait pas trop mal depuis le temps des Fêtes, mais Marjolaine se demandait si la décision de son aînée de quitter le foyer ne deviendrait pas un nouveau déclencheur de crise.

Dieu merci, Lydia ne protesta pas trop fort. Bien sûr, elle fit valoir l'âge précoce de sa fille, en plus de brandir bien haut les règles de morale et de vertu, sans oublier de noter son manque total de revenus. Mais rien n'y fit. À dix-neuf ans, Tonia avait le droit de gérer sa vie comme elle l'entendait. En fait, elle avait accusé tant de progrès en français, surtout grâce à Rémi, qu'elle s'était inscrite au cégep dès janvier afin d'entreprendre son cours collégial tout en poursuivant, en même temps, ses études de flûte au Conservatoire de musique. Quant aux revenus, un emploi de fin de semaine dans un dépanneur suffirait peut-être à payer sa part des dépenses. À l'instar de Rémi, elle tenta de rassurer sa mère.

— On va se débrouiller, maman, ne t'en fais pas. Nos besoins ne me semblent pas trop grands, après tout. Et puis, je n'emménage pas très loin, hein ? À quelques rues d'ici seulement. Nous viendrons te visiter très souvent, tu verras, je te le promets ! Je t'inviterai même à souper avec nous, certains soirs.

Au grand soulagement de tous, Lydia participa au déménagement, allant jusqu'à fouiner dans les boutiques d'entraide et les friperies afin de procurer au nouveau couple au moins l'essentiel pour débuter.

— En voilà deux de casés, puissent-ils être heureux ! confia Marjolaine à Ivan, le premier soir où Rémi prit officiellement possession de son logement. On pourra dire qu'il m'en a fait voir de toutes les couleurs, celui-là! Étrangement, je devrais brailler comme une Madeleine parce qu'il part et franchit cette nouvelle étape de sa vie, mais, au contraire, je suis heureuse qu'il me quitte pour un ailleurs autre que la prison.

— Moi aussi, Marjolaine, je partage ton soulagement. Cette fameuse prison… Mettons que le cauchemar est terminé pour nous tous. Rémi t'a-t-il annoncé qu'Alain allait leur donner un coup de main et leur payer une télé et un système de son tout neufs?

— Non! Comment ça? Je ne savais même pas que Rémi rencontrait son père de temps en temps. Eh bien! tu parles d'une bonne nouvelle!

— Moi non plus, je ne le savais pas, mais il y a deux semaines, imagine-toi donc que j'ai rencontré ton ex tout à fait par hasard au garage. Nous étions tous les deux en train de prendre de l'essence de chaque côté de la même pompe. On n'a pas pu faire autrement que de se saluer et d'échanger un peu. Quand je lui ai appris que Rémi prenait maison, Alain m'a remercié pour l'information, sans plus. Comme il ne s'est même pas renseigné à ton sujet, j'ai cru bon de ne pas t'en informer inutilement. Mais hier, Rémi m'a annoncé la bonne nouvelle : son père l'avait contacté et participera à sa manière à l'emménagement de son fils.

— Parfait! Et tant mieux si mes deux fils renouent avec lui. Car François aussi a coupé les ponts avec son père. Alain ne connaît même pas son petit-fils Charles, croirais-tu ça? Quel sans-cœur!

Cette fois, Marjolaine put replonger dans son roman en toute quiétude, car une certaine tranquillité avait repris ses droits, rue Durham. Elle avançait vers la conclusion du manuscrit, même si cette histoire pathétique de la mère d'un fils pédophile au début du siècle avait exigé de rigoureuses et passionnantes recherches. Déjà, la fin se précisait dans son esprit.

Bien sûr, Samiha était là, avec sa verve, sa bonne humeur, ses pratiques de piano, ses jeux et son horaire d'école. Selon son professeur, la fillette s'était finalement adaptée à sa classe de maternelle, elle suivait sagement les consignes, comprenait les explications du premier coup et participait d'emblée à toutes les activités, sauf que…

Marjolaine sursauta en entendant ce « sauf que… » pour le moins hésitant de l'enseignante et s'empressa de demander des précisions.

— Sauf que quoi ? Que se passe-t-il donc ?

— Votre fille est de temps en temps victime d'intimidation. Oh ! rien de grave, rassurez-vous. Cependant, certaines mauvaises langues de la classe se moquent encore de son accent et de ses expressions françaises. Les enfants, vous savez ce que c'est : il suffit d'un seul chef de file pour rallier tous les autres. Alors, on laisse parfois Samiha de côté, et il lui arrive de déclencher des moqueries. Évidemment, j'y mets un terme dès que je m'en aperçois.

— Son accent ? Quel accent ? Samiha parle parfaitement bien français, que je sache ! Elle ne connaît même pas d'autre langue !

— Justement, quand elle use, de sa petite voix claironnante, de certaines expressions comme « enfiler ses grolles » au lieu de « mettre ses souliers » ou bien qu'elle demande à une compagne de classe de devenir « sa frangine », elle fait l'objet de railleries.

— À la longue, toutes ces expressions vont lui passer, à force de vivre ici, mais que voulez-vous, elle est née en France d'une mère tunisienne et elle n'est arrivée au Canada que l'an dernier, alors… Dites-moi, se pourrait-il que ce soit la raison pour laquelle elle est revenue à une ou deux reprises de l'école à pied et avec quelques minutes de retard, au lieu de prendre l'autobus comme il se doit ?

— Elle a fait ça ? Pourtant, nous vérifions toujours que tous les enfants sont bien installés dans le bus avant de les laisser partir, madame. Je ne vois pas comment…

— Elle est probablement descendue à l'arrêt suivant. Si elle ne peut pas supporter les insultes des compagnons assis à côté d'elle, l'idée de marcher ou de courir lui vient sans doute à l'esprit au début du trajet. Mais elle ne m'en a jamais parlé, je me demande bien pourquoi.

— Laissez-moi vérifier. Je vais vous revenir là-dessus dès que possible. De votre côté, s'il vous plaît, faites une petite enquête.

Marjolaine ne s'était pas trompée : Samiha, afin de s'éviter les sarcasmes, était descendue du bus dès le premier stop. Fâchée, sa mère se mit à la réprimander vertement.

— Qu'est-ce que cette histoire, Samiha ? Je n'en reviens pas encore. Tu n'es pas censée quitter l'autobus avant d'arriver chez nous, devant la porte, même si l'école est à proximité.

— Mais ils sont cons, maman, et ils ne veulent pas me laisser tranquille. De véritables ballots, ces garçons ! Des nunuches ! Si tu penses que je vais me laisser faire. Ils peuvent bien parler tout seuls, moi, je suis capable de me ficher d'eux et de m'en retourner chez moi en marchant !

— Il n'en est pas question, Samiha ! Au contraire, ces imbéciles doivent se réjouir de te voir rentrer à la maison sur tes deux jambes. Tu n'as qu'à leur faire un pied de nez et à ne pas les écouter, voilà tout ! Quand ils vont s'apercevoir que ça t'est indifférent, ils vont te laisser tranquille à la longue, tu vas voir !

— Un pied de nez, on fait ça comment?

La fillette, décontenancée, regardait sa mère d'un air piteux. Marjolaine finit par la prendre dans ses bras et la caresser douce-ment. Cette enfant-là avait remporté bien d'autres victoires mille fois plus importantes au point de vue santé, et elle n'avait pas à vivre cela, grands dieux! Comme la vie se montrait injuste, parfois!

— Alors, Samiha, on essaye de leur tenir tête, tu veux bien? Prouve-leur que ça ne te fait pas un pli sur la différence de faire rire de toi à cause de ton accent.

— Je veux bien, mais… maman, explique-moi ce que veut dire: «Pas me faire un pli sur la différence.»

Marjolaine éclata de rire. Cette enfant-là représentait pour elle un soleil.

À la longue, le problème finit par se résorber, la fillette trépi-gnant dans l'autobus, une main sur la hanche, esquissant un pied de nez de l'autre et lançant, dans un accent on ne peut plus français, à chacune des attaques:

— Allez au diable, ça ne me fait pas un pli sur la différence!

CHAPITRE 19

Jean-Claude et Monique s'étaient acheté un chalet dans la région de Mont-Laurier, histoire de bercer leurs fins de semaine et jours de congé dans la douce nature. Leur première idée fut naturellement d'en faire profiter leurs grands amis, Marjolaine et Ivan. On fixa donc un week-end au début de mars, en s'assurant que Rémi et Tonia et, pourquoi pas? Lydia et Anika pourraient faire partie des invités. Chacun insista pour apporter, qui un repas, qui une collation, qui une bouteille de vin ou encore un dessert.

Quand on arriva au lac des Cornes, le vendredi en début d'après-midi, tous se montrèrent enchantés de l'endroit. Vaste chalet entouré d'une longue galerie où on installait des chaises durant l'été, larges fenêtres donnant d'un côté sur la forêt, de l'autre sur le lac inhabité et sauvage, grande cheminée de pierres des champs au milieu du salon pour le romantisme, chambres douillettes et confortables, électricité, eau courante et système de chauffage central, douche et deux salles de bain. Que demander de plus pour y vivre un week-end heureux?

Jean-Claude ne tarissait pas d'éloges sur sa nouvelle propriété.

— Attendez ! Vous n'avez pas tout vu ! Dès qu'il fera un peu plus sombre, en fin de journée, je vous réserve une super belle surprise. Une chose rare à laquelle vous n'avez sans doute jamais assisté.

On s'imagina alors que surgirait un invité mystère, connu de tous, mais qui donc ? Monique précisa que la fameuse surprise se présenterait dehors. Aux premiers signes de la tombée du jour, tous s'approchèrent de la fenêtre, verre à la main, en se serrant les uns contre les autres. Ivan se montra le plus curieux.

— Ne me dis pas qu'enfin, je vais apercevoir un ours, Jean-Claude !

Quelques minutes plus tard, six magnifiques chevreuils apparaissaient, tout juste contre le flanc de la maison, pour manger gloutonnement les carottes que Jean-Claude avait répandues sur le sol, mine de rien. Une véritable vision de rêve : des bêtes racées, élancées, gracieuses et innocentes se nourrissaient à quelques mètres d'eux.

— Attention, il ne faut pas bouger brusquement devant la fenêtre ni faire trop de bruit, car ces animaux sauvages restent toujours aux aguets, croyez-moi !

— Ah ! mais je veux prendre des photos, moi !

— Ne t'en fais pas, Ivan, ils vont revenir demain soir, je peux te l'assurer.

Après un repas copieux et fort prolongé, gracieuseté d'Ivan et de Marjolaine, on décida d'envoyer les plus jeunes à l'étage. Samiha et Anika placotèrent longtemps dans leur lit tandis que les plus vieux placotaient en dégustant un cognac devant une énorme flambée dans la cheminée. Rémi et Tonia, eux, partirent faire une promenade dans la neige qui s'était mise à tomber dru.

— N'allez pas trop loin, les amoureux. On n'a pas envie de vous perdre dans la tempête, là !

— Mais non, Jean-Claude ! J'ai juste envie de donner à ma blonde un bec assaisonné de flocons. Et si on se perd, c'est pas grave, on dormira sur un banc de neige, vu que nous avons le cœur chaud !

Piquée au vif, Tonia s'empressa de répliquer :

— Sur un banc de neige, hein ? J'adore le Québec, vous le savez, et j'adore un de ses habitants en particulier, mais de là à dormir avec lui sur un banc de neige… Si au moins ce garçon se montrait moins « habitant », ça irait mieux, ha ! ha !

Marjolaine ébaucha un sourire. Il n'y avait pas que Samiha et Lydia qui intégraient les expressions québécoises dans leur langage.

— Et puis, faites attention aux ours, hein ? Les chevreuils, ça peut toujours aller, mais les ours…

On se moqua de l'obsession du pianiste pour les ours, et les amoureux s'en furent à l'extérieur sans même se préoccuper d'apporter une lampe de poche. Heureusement, ils ne tardèrent pas trop à revenir, les vêtements saupoudrés de neige, les joues rougies par le froid et le regard illuminé. Marjolaine ne fut pas sans se rappeler une promenade au Carré Saint-Louis en compagnie d'Ivan, un certain soir de tempête, quelques années auparavant. Ce genre d'événements d'allure banale posent parfois des empreintes inoubliables au tableau des souvenirs…

Le début de la nuit dans ce chalet perdu dans la campagne fut calme et paisible. Cependant, vers une heure du matin, Marjolaine entendit quelqu'un vomir dans la toilette : Jean-Claude. Et de nouveau vers les quatre heures. Avait-il trop bu ? Pourtant, il lui semblait que non, même qu'il avait très peu mangé, elle l'avait justement remarqué. « Bof, ce genre de choses arrivent à tout le monde à un moment ou à un autre », se dit-elle avant de se rendormir profondément.

Le lendemain matin, elle trouva le handicapé affalé sur le divan. À la lumière du jour, elle remarqua ses traits tirés et son teint jaunâtre, mais elle eut à peine le temps d'ouvrir la bouche qu'il s'écriait :

— Allez, allez ! C'est l'heure d'aller jouer dans la neige. Regardez-moi ça comme c'est beau, ce matin ! Moi, je vais me reposer. De toute façon, avec mes prothèses, je ne peux pas me rendre très loin, n'est-ce pas ? On se reverra au dîner. Vas-y, toi aussi, Monique, il faut en profiter !

Ivan balaya le perron, quelques-uns chaussèrent des raquettes, les fillettes allèrent glisser du haut de la colline, les autres se contentèrent de marcher le long du chemin où pas une seule voiture ne passa. Marjolaine voyait bien que Monique s'inquiétait.

— Voilà près de trois semaines que Jean-Claude fait des indigestions à tout bout de champ. Vomissements et diarrhée… Ça lui vient comme ça, sans raison. Tout cela me tracasse un peu, je l'avoue, d'autant plus qu'il se sent plutôt faible. On ne voulait manquer cette fin de semaine pour rien au monde, mais peut-être aurait-il mieux valu la reporter à une autre fois…

— A-t-il vu un médecin dernièrement ?

— Penses-tu ! Monsieur n'a pas le temps. Il prend soin des autres, mais de lui-même, jamais ! Je vais devoir le traîner de force à la clinique, j'en ai bien peur.

Elle n'avait pas tort. Quand, deux heures plus tard, ils rentrèrent au chalet en vue de la préparation du dîner, ils trouvèrent Jean-Claude étendu par terre dans la salle de bain, sans connaissance. On réussit finalement à le ranimer, mais l'homme n'en menait pas large, livide et passablement sans force.

Monique semblait affolée.

— Je ne sais trop quoi faire. Si j'appelle l'ambulance, on le transportera à l'hôpital de Mont-Laurier, à cent cinquante kilomètres de chez nous. Si je l'emmène en voiture, je vais le conduire directement vers un hôpital situé près de notre demeure, ce qui s'avérerait beaucoup plus simple et pratique, advenant le cas où il devrait passer une série d'examens. Sauf que cela représente une très grande distance à parcourir d'ici à Montréal. Jean-Claude tiendra-t-il le coup ?

— On rentre en auto, pas en ambulance, protesta Jean-Claude avec véhémence, dans un ultime sursaut d'énergie.

Ivan et Marjolaine répondirent en même temps :

— On vous suivra jusqu'à l'hôpital. Si jamais les choses s'enveniment et que vous avez besoin d'aide en cours de route, on sera là.

— Mais non, s'opposa Monique, même si Jean-Claude et moi devons partir, profitez donc du reste de la fin de semaine ici, avec votre famille.

— Jamais de la vie, il n'en est pas question ! Allez, ouste, Samiha ! Va chercher tes affaires, on part dans quelques minutes. En attendant, je vais chercher les autres dans le bois. Les vacances sont finies pour tout le monde.

Ainsi se termina brusquement ce qui promettait d'être une fin de semaine de rêve.

CHAPITRE 20

Néoplasie métastatique du pancréas, stade quatre. Le diagnostic tomba à peine quelques jours après l'hospitalisation. Jean-Claude semblait foutu. Selon les probabilités appuyées sur les statistiques, il ne lui restait que très peu de temps à vivre et, encore, pas de la manière la plus facile.

Monique en informa Marjolaine le jour même où le médecin, sans trop de ménagement, lui avait annoncé la terrible nouvelle en présence du patient. Le choc fut brutal. Ce dernier était d'abord resté prostré et sans voix, tremblant comme une feuille agitée par la bourrasque. Une feuille condamnée à périr dans la tourmente… Puis, il s'était mis à sangloter, inconsolable et désespéré, incapable d'arrêter. Monique crut bon d'appeler au secours.

— Viendrais-tu à l'hôpital, Marjolaine, s'il te plaît ? Je sais qu'il t'aime beaucoup, peut-être pourras-tu l'aider davantage que moi à accepter ce diagnostic. Parce que moi, vois-tu, je suis anéantie encore plus que lui, je pense, et…

La pauvre épouse éplorée tenta vainement de ravaler ses larmes, incapable de retrouver ses esprits et d'en dire davantage. C'est ainsi que Marjolaine se rendit, le jour même de l'identification de la maladie, au chevet de son ami Jean-Claude encore une fois marqué par le mauvais sort. À son arrivée dans la chambre, elle dut aborder seule le malade grabataire, Monique s'étant absentée pendant quelques minutes pour aller se restaurer à la cafétéria. Dieu merci, Jean-Claude avait cessé de pleurer.

Cherchant son courage avec l'énergie du désespoir, Marjolaine posa une main amicale sur l'épaule du malheureux, une main agitée par l'émotion, mais qu'elle aurait voulu rassurante. Toutefois, elle ne trouva rien d'autre à dire que les mots usuels et banals utilisés généralement dans ce genre de circonstances.

— Il faut rester positif et optimiste, Jean-Claude. Tu te trouves dans un excellent hôpital, les médecins savent ce qu'ils font et ils te soigneront comme il faut.

— Je sais, je sais…

— Demain, ils vont t'opérer à la première heure pour t'enlever tout ça. Par la suite, tu recevras des traitements de chimiothérapie et, au bout de quelques mois peut-être difficiles, tu en reparleras comme d'une chose du passé. La vie va reprendre, tu pourras te reposer et te remettre sur pied, puis retrouver ta femme, tes élèves, tes amis. Avant longtemps, on retournera au chalet tous ensemble et…

Jean-Claude semblait s'être un peu aguerri. Quelques heures s'étaient écoulées depuis la mauvaise nouvelle apprise le matin, et il avait eu le temps de réfléchir. Sans doute, après la première secousse, tentait-il lui-même de rationaliser la situation et d'y faire face bravement, courageusement. Ne s'était-il pas toujours montré un homme fort et intrépide ?

— Marjolaine, tu gaspilles ta salive. De grâce, cesse de fuir la vérité et de faire miroiter inutilement un espoir de guérison. Soyons honnêtes : personne ne survit à un tel cancer au stade où il en est rendu, tu le sais aussi bien que moi. Si on parlait des vraies affaires, hein ?

Sans s'en rendre compte, Marjolaine perdit tout contrôle.

— Des vraies affaires ? O.K., Jean-Claude Normandeau, dans ce cas-là, je vais te les dire, moi, les vraies affaires : je ne veux pas que tu meures, je ne veux pas, comprends-tu ? Je ne veux pas !

En prononçant ces dernières paroles d'une voix brisée, elle ne put retenir ses larmes et mit un certain temps à retrouver son souffle et un peu d'aplomb.

— Je veux te garder auprès de nous, mon ami, je veux te voir vivre heureux avec Monique, et avec Rémi aussi. Longtemps, longtemps… Ne pars pas, Jean-Claude, je t'en supplie, ne t'en va pas, reste parmi nous. Tu es fort, tu vas gagner la bataille. Il le faut, Jean-Claude, il le faut !

Elle recommença à pleurer comme une petite fille, puis elle approcha sa chaise du lit et laissa tomber sa tête sur le drap. Étrangement, c'est le malade qui consola la visiteuse en posant une main frémissante sur elle et en lui caressant tendrement les cheveux.

— La mort, tôt ou tard, ça finit par venir chez tous les êtres humains, Marjolaine. Mon heure va sonner bientôt et ce sera mon tour, aussi simple que ça ! On va tous y passer à un moment donné, on a tendance à l'oublier…

Elle releva alors la tête et s'écria, sous le regard cerné et vacillant de l'infirme :

— Ça pourrait arriver plus tard que tôt, tout de même ! N'as-tu pas envie de te battre ?

— Me battre pourquoi ? Tout semble perdu d'avance. Le vieillissement et la mort sont les seules véritables justices de l'existence. D'accord, je n'ai pas encore soixante ans, mais des enfants meurent à moins de quelques jours, ou même quelques heures de vie, et personne sur la planète ne peut expliquer cela. Les athées et ceux qui ne croient en rien fanfaronnent bien haut. Mais le jour où ils vont devoir affronter la mort de près, leur discours risque de changer, je te le garantis.

— Tu as peut-être raison.

— Écoute-moi, Marjolaine : ou bien je me révolte et je crie à l'injustice, je tape des pieds et des mains, je hurle, braille et me lamente, et cela, tout à fait pour rien d'ailleurs, ou bien je me range. J'ai décidé de me soumettre humblement à mon destin, si terrible soit-il, en gardant l'espoir d'un monde meilleur, quelque part, je ne sais trop où. Je n'ai pas le choix. Toi et moi, on ne le sait que trop !

— Toi, tu ne cesseras jamais de m'épater. Quel grand ami tu fais ! Un ami que je n'ai pas envie de perdre, moi !

L'espace d'un moment, l'image du mendiant barbu et aux cheveux en bataille, assis sans ses prothèses dans son fauteuil roulant et agitant une boîte de conserve vide devant les passants du Carré Saint-Louis remonta à la surface. Quelles abominations, quelles énormités Jean-Claude avait-il pu commettre pour devoir les payer de sa vie, à l'âge de cinquante-six ans ? Et puis, non ! Les bêtises, les fautes, les erreurs de parcours ne s'acquittaient ni ne se remboursaient par la maladie et la mort. La mort n'agissait pas comme une vengeresse ou une justicière, elle emportait n'importe qui, arbitrairement et ignominieusement, et de façon inéquitable. Tôt ou tard, et hors de tout contrôle, elle frapperait indéniablement tout un chacun, la mort…

Ici-bas, sur la planète Terre, aucune véritable justice n'existait. On naissait de races différentes, heureux ou malheureux, malade ou en santé, intelligent ou non, prospère ou misérable, choyé ou démuni, bien entouré ou isolé, dans un environnement de paix ou de guerre, dans un pays tranquille ou bordélique, et tout cela, de façon aussi aléatoire que de gagner ou non à la loterie. On mourait jeune ou vieux en emportant avec soi un bilan positif ou négatif, peu importait, c'était le bon ou le mauvais sort qui en statuait. Les décisions et les gestes du quotidien, s'ils exerçaient parfois un certain impact, au fil du temps, sur les aléas de l'existence et de la santé, avaient compté pour très peu au terme d'une vie par rapport à cette puissance inéluctable qui prévoyait le cours des événements, à bien y songer. On appelait ça le destin et on devait s'y résigner. On n'avait pas le choix, il fallait s'incliner devant cet impératif et s'y résoudre. Non, l'être humain n'avait vraiment pas le choix. Le destin s'avérait le plus fort, le roi et maître…

Mais alors, ça rimait à quoi, tout ce scénario? Quel sens donner à cette vie si précaire, cette destinée qui ne nous appartenait pas? Ou si peu? Et si la mort, comme le prétendaient les chrétiens, n'était qu'un passage vers le summum, pourquoi générait-elle tant de chagrin, tant de souffrance? Tant de résistance? Pour quelle raison la séparation s'avérait-elle toujours aussi cruelle? Au lieu de se donner rendez-vous gaiement dans un monde meilleur, ils hurlaient, eux aussi, de douleur devant la mort, les chrétiens!

Après un long moment de silence, Jean-Claude enchaîna d'une voix chevrotante, en plongeant son regard droit dans les yeux toujours larmoyants de Marjolaine.

— J'espère que tous ceux que j'aime et devrai abandonner sous peu vont m'aider à me rendre jusqu'au grand départ. Parce qu'il y aura tout de même un cap à franchir vers là où je m'en vais, et le plus difficile sera de me séparer de vous tous. Pour le reste… Qui sait si, une fois rendu de l'autre bord, on ne me redonnera pas mes deux jambes et, pourquoi pas, ma jeunesse, ma liberté et une vie pétillante ? Aller courir sur mes deux jambes au-dessus des nuages s'inscrit en toutes lettres dans ma liste de désirs et de rêves à réaliser. Si j'ai mené une bonne vie, naturellement, ha ! ha !

Il prononça ces derniers mots en esquissant un sourire. Y croyait-il vraiment ? Malgré elle, Marjolaine répondit à son rictus. Cré Jean-Claude, il allait demeurer un héros à ses yeux jusqu'à la fin. Il ne lui laissa pas le temps de répliquer et continua avec encore plus de ferveur.

— Là-haut, si le ciel existe réellement, je vais retrouver le cher père Théodore, l'aumônier du pénitencier qui m'a tellement aidé à me tirer de ma condition au cours de mes jeunes années. Ah ! on va sûrement prendre une bière ensemble ! Et puis, Murielle, ma belle petite chocolatière du Carré Saint-Louis, j'ai hâte de la revoir aussi. Et qui sait si je ne découvrirai pas le couple Penkala, les parents d'Ivan et de Lydia, quelque part dans un recoin du ciel ? Nous pourrions faire connaissance… Même Joseph et Ela, que j'ai connus chez toi au cours de leur voyage au Canada à l'occasion de ton mariage, se trouveront là. Je pourrais leur donner des nouvelles fraîches d'ici-bas, ils seront contents, hé ! hé !

— Oh ! Jean-Claude, quelle force, quelle sagesse tu possèdes ! Quelle foi, devrais-je plutôt dire, n'est-ce pas ?

— N'oublie pas, Marjolaine, que ça ne coûtera rien, de me téléphoner là-haut. Tu pourras m'appeler quand tu voudras, à n'importe quelle heure du jour et de la nuit. On va continuer de se parler, je te l'assure. Ou plutôt on va se comprendre en silence, devrais-je dire. Le fait d'être séparés pendant quelques années a-t-il vraiment de l'importance quand on possède l'assurance de se revoir de toute manière dans un autre univers ? Ma petite Monique, je vais l'attendre et lui ménager une place dans mon cœur pour l'éternité, c'est certain! Mes élèves aussi, tous ces jeunes flos que j'ai essayé de sortir de leur trou. Qui sait si, une fois dans l'au-delà, je ne disposerai pas de davantage de moyens de les aider et de les tirer de leur terrible condition terrestre? Et puis, non! Ils sauront bien se libérer eux-mêmes...

— Non seulement tu possèdes la sagesse, mon doux ami, mais ta foi me paraît extraordinaire. Je t'admire, tu me donnes une telle leçon de vie. Moi, je venais ici pour te consoler, et voilà que l'inverse se produit! Jean-Claude, tu es un homme formidable et, oui, tu mérites le ciel. S'il y en a un, naturellement!

— C'est Monique qu'il faut consoler. La pauvre prend les choses plutôt mal en ce moment. Tu aurais dû la voir sangloter, ce matin...

Sur ces entrefaites, l'épouse arriva, un bouquet de lys blancs à la main, acheté à la boutique de cadeaux de l'hôpital.

— Tiens, mon amour! En dépit de tout ce que tu penses et dis, je veux que tu te battes quand même pour survivre. Quelques années de plus ensemble ne seraient pas de trop, il me semble! Nous n'en avons pas assez profité, il ne faut pas démissionner aussi vite. Le docteur a dit que des miracles se produisent parfois.

— Des miracles, hein? Il croit aux miracles, le docteur? Eh bien, pas moi! Mais tu as peut-être raison. Par amour pour toi, Monique, je vais me battre, comme tu dis, et aller jusqu'au bout avec toute l'énergie qu'il me reste.

Quand Marjolaine rentra chez elle, Samiha dormait déjà. Elle paya la petite gardienne et, pour la première fois depuis des mois, elle sortit la partition de *Jésus, que ma joie demeure*. Si Ivan s'était trouvé à la maison, elle l'aurait supplié de la jouer pour elle, mais une réunion le retenait à l'université. Elle entreprit alors de pianoter maladroitement la cantate, le besoin de l'écouter se faisant trop pressant. Étrangement, elle avait intégré d'une certaine manière cette musique qui avait, jadis, littéralement sauvé la vie d'Ivan. Comme pour lui, entendre ces sons porteurs d'une prière d'espoir la rassurait, la consolait, allégeait l'épreuve.

Quelques instants plus tard, Ivan n'avait pas encore franchi l'entrée quand il perçut, à travers la porte, la cantate de Bach piochée sur le piano d'une façon on ne peut plus boiteuse. Il devina que le diagnostic au sujet de Jean-Claude avait dû être prononcé et que les nouvelles ne s'avéraient pas très bonnes.

Marjolaine tomba dans les bras du pianiste et sanglota pendant près d'une demi-heure avant d'arriver à se ressaisir.

— En plus du chagrin de perdre mon ami, malgré moi, ô combien malgré moi! tout cela me ramène à Samiha. S'il fallait que… s'il fallait que je la perde elle aussi, Ivan, j'en mourrais, je te jure!

— Tu en mourrais? Et moi, alors? Tu me laisserais en plan, bête comme ça, sans ma femme et sans ma fille? Allons, mon amour, tu dois réagir autrement et croire en notre bonne étoile. Si jamais cela se produit, tu trouveras la force de passer au travers à ce moment-là. Pour l'instant, on fait de notre mieux pour la garder en vie, cette petite-là, et elle se porte à merveille. Pourquoi alors s'énerver inutilement? L'espoir, tu ne te rappelles plus ce que cela veut dire? Vais-je être obligé de te ramener en excursion dans les Alpes suisses ou encore, de te lancer une volée de papillons?

— Ah oui, j'aimerais ça! Une volée de papillons blancs…

— L'espoir, mon amour, l'espoir…

L'opération chirurgicale subie par Jean-Claude, le lendemain, ne donna pas les résultats escomptés par ses proches. Rien ne servait d'entretenir l'espérance de le voir récupérer la santé, le mal était trop largement répandu. Selon les conseils de l'équipe médicale, on lui donnerait tout simplement un traitement palliatif et l'homme s'éteindrait petit à petit sans trop de souffrances.

Le handicapé mit tout de même quelques semaines avant de partir définitivement pour l'ultime voyage. Retourné chez lui pendant les premiers temps, il put faire ses adieux à chacun des siens. Un jour qu'il ne se sentait pas trop mal, ayant légèrement et sans le dire augmenté la dose de ses médicaments, il demanda à Rémi d'organiser une rencontre avec ses élèves.

— Je voudrais bien, Jean-Claude, mais on ne peut pas recevoir tout le monde ici.

— Non, non, je me sens assez bien aujourd'hui pour me rendre au centre durant une petite heure.

C'est ainsi qu'un bon dimanche après-midi, Marjolaine et Ivan le transportèrent dans leur voiture jusqu'au centre Les Papillons de la Liberté. Pendant un court laps de temps, Jean-Claude, les larmes aux yeux, put serrer la main de la centaine de résidants venus lui dire au revoir. La plupart des jeunes se montraient désemparés devant la mine lamentable de leur professeur, sa maigreur, sa pâleur, ses mains qui tremblaient, sa voix éteinte et caverneuse, mais aucun n'oublierait jamais cet homme généreux qui leur avait montré, à son humble manière, le chemin du bon et du bien.

Juste au moment de repartir, une jeune fille en larmes revint vers lui en s'écriant :

— Monsieur Normandeau, une fois que vous serez rendu au ciel, saluez chaleureusement ma mère et mon petit frère pour moi.

Je n'avais que quatre ans quand mon père les a assassinés, mais je me souviens encore d'eux.

— Promis, ma chouette !

C'est Rémi qui poussa le fauteuil roulant jusqu'à la voiture. Plus qu'un ami, le jeune homme allait perdre un véritable père. Non seulement il avait correspondu avec lui pendant des mois alors qu'il était suicidaire en prison, mais, depuis ce temps, Jean-Claude n'avait jamais failli une seule fois à lui servir de modèle et de conseiller. De dépanneur aussi. Jamais il n'oublierait tout le bien que lui avait fait cet homme pourtant fort blessé par la vie.

— Tu as été un père pour moi, Jean-Claude. Sans toi, je ne sais pas ce que je serais devenu. Je ne te remercierai jamais assez.

— Ne me remercie pas, jeune homme, remplace-moi, tout simplement. Prends ma place auprès des jeunes !

Jean-Claude rendit l'âme au début d'avril, entre les bras de sa femme Monique et entouré de ses plus chers amis. Ce matin-là, signe avant-coureur du printemps, un voilier d'une centaine d'outardes traversa le ciel, comme il l'avait fait à l'automne, en dessinant une énorme flèche au point de croix en direction du Nord. Cette fois, les bernaches lançaient des cris que Marjolaine interpréta comme des cris de joie.

Au cimetière, juste avant de déposer une gerbe de roses sur sa tombe, elle murmura à voix haute :

— Merci, Jean-Claude. Non seulement tu nous as donné une leçon de vie, mais tu nous as aussi enseigné l'art de mourir.

C'est en déambulant dans le cimetière entre les pierres tombales que Rémi prit à part sa mère en larmes et passa son bras sous le sien pour l'entraîner un peu à l'écart. Il lui révéla alors la dernière nouvelle à laquelle elle s'attendait :

— Maman, tu vas devenir grand-mère une troisième fois. Tonia est enceinte.

CHAPITRE 21

Tonia attendait un bébé ! À vrai dire, la jeune femme ne savait trop si elle devait se réjouir ou non de sa situation. Bien sûr, elle rêvait de mettre des enfants au monde et de fonder un foyer, un jour, toutefois pas à dix-neuf ans. Et seulement quelques mois après son arrivée au Canada et sa mise en ménage avec Rémi ? Elle venait à peine de recevoir son visa fédéral et elle était loin d'avoir terminé ses études. Pour la musique, ça allait, mais le cégep ? Vers quoi s'en allait-elle donc ? Vers l'enfer ou bien vers une vie de félicité avec un conjoint et un bébé ? Déjà un petit sur les bras… Certes, elle adorait Rémi et voyait en lui le père de ses enfants, cependant pas tout de suite.

Elle s'en voulait d'avoir oublié son pilulier, l'espace d'une fin de semaine à la campagne, et d'avoir pris inconsidérément le risque d'une grossesse. Après tout, Rémi n'avait pas apporté ses condoms, lui non plus… Par contre, quand elle posait la main sur son ventre et imaginait le petit trésor qui s'y trouvait, elle ne pouvait empêcher son cœur de se gonfler de tendresse. Un enfant, moitié elle, moitié Rémi, y grandissait. Qui sait si le bébé n'aurait pas la binette de son cher amoureux ? Wow ! Tout le reste avait-il de l'importance ?

Rémi, lui, s'était d'abord senti découragé quand elle lui avait confié, d'un air coupable, le retard que prenait la venue de ses règles, d'autant plus que ce retard semblait vouloir s'étirer jour après jour. Le garçon avait mis un certain temps à se faire à l'idée et, surtout, à l'accepter. Comme il venait tout juste d'intégrer le marché du travail, il se demandait si tous les deux disposeraient de suffisamment d'argent pour se réinstaller dans un appartement plus vaste où on pourrait aménager une chambre d'enfant. Se sentait-il prêt à entreprendre dès maintenant le fondement d'une famille ? Conformément à ses habitudes, il était aussitôt allé à l'hôpital pour demander conseil à Jean-Claude, en dépit de la santé précaire de son malheureux mentor, qui dépérissait à vue d'œil.

— Je me demande si Tonia ne devrait pas se faire avorter. Mieux vaudrait attendre encore quelques années, il me semble, le temps de s'adapter l'un à l'autre et d'organiser notre place dans la société. Qu'en penses-tu, Jean-Claude ?

— S'il ne s'agit que d'une question d'argent, ne prenez pas cette décision-là, Rémi, vous risqueriez de le regretter durant toute votre vie. Qui te dit que le refus de ce premier enfant ne constituerait pas un point sombre dans votre horizon pour le reste de vos jours ?

— C'est beau de rêver en couleurs, mais il ne faut pas manquer de sens pratique non plus. Tonia est pauvre comme Job, sa mère aussi, et elle est loin d'avoir terminé ses études. Ivan lui paye ses leçons de flûte, mais pas le reste. J'ai déjà eu suffisamment de problèmes, ces dernières années, je ne veux pas encore courir après le trouble et m'embarquer dans une autre galère, tu dois comprendre ça, Jean-Claude ?

— Hé ! hé ! Il a pris de la maturité, le jeune homme ! Je me réjouis de te voir réfléchir avec autant de sérieux et, oui, je te comprends. Cependant, écoute-moi bien : je possède un petit pécule personnel à la banque. Ce n'est pas la fin du monde, mais ça vous aiderait certainement un peu. Puisque tu me considères comme ton deuxième père, cet enfant sera un peu comme mon petit-fils, en y songeant. Le petit-fils que je ne connaîtrai pas et me contenterai de regarder d'en haut. Mon descendant spirituel, quoi! Si Monique est d'accord, elle qui n'a nullement besoin de pognon, car elle vient d'une famille fortunée, je vais te donner cette somme au lieu de la remettre par testament au centre Les Papillons, comme j'en avais l'intention. Je leur offre le produit de mes quêtes au Carré Saint-Louis depuis des années, alors pour cette fois ce montant ira ailleurs.

— Tu ne veux pas me donner l'argent que tu ramassais sur le coin des rues, j'espère? Je me sentirais coupable d'usurper le bien commun.

— Pas du tout! Il s'agit d'économies mises de côté à même mon salaire en prévision de mes vieux jours. Hum! Parlons-en, de mes vieux jours! Ils ne vont pas durer très longtemps, je le crains, d'après les docteurs. Un mois ou deux à peine… Je te remets donc cette somme à deux conditions : non seulement tu gardes l'enfant, mais tu te dévoues soit pour les résidants du centre, soit pour une autre cause semblable ailleurs. Donne-toi aux autres comme je l'ai fait, Rémi, et tu seras heureux, je te le jure. Remplace-moi dans le même genre de fonction philanthropique, je te le redis encore, comme je te l'ai fait promettre dernièrement.

— Voyons, Jean-Claude, je te demandais tout simplement un conseil, pas de l'argent! Quant à la promesse de te succéder au centre, je veux bien essayer, mais je ne jure de rien. Je n'ai pas ta grandeur d'âme ni ta sagesse, et encore moins ton expérience, moi! À part mon diplôme collégial…

— Tut-tut! Je sais que tu le peux, tu as tout le potentiel pour cela. Quant à mon petit héritage, il ne s'agit de rien de faramineux, soit dit en passant. Je vais régler ça avec Monique dès ce soir, car malheureusement il ne me reste plus beaucoup de temps. Et puis, si tu veux un conseil, mon Rémi, je vais t'en donner un : garde la bonne nouvelle de la grossesse de Tonia pour après ma mort, ça consolera ta mère et lui fera oublier son chagrin.

— Oui, mais… si tu meurs seulement dans six mois ?

— Six mois ? Tu veux rire ! Dans moins de quelques semaines, tout au plus, je serai parti. Je le sais, je le sens.

Jean-Claude avait raison. Trois semaines plus tard avaient lieu ses funérailles.

En apprenant, au cimetière, qu'elle deviendrait de nouveau grand-mère, Marjolaine s'était d'abord effondrée. Trop d'émotions contradictoires à la fois avaient eu raison d'elle, des émotions radicalement aux antipodes. Emportée dans cette lutte entre la vie et la mort, et déchirée entre le chagrin de perdre un être cher et la perspective joyeuse d'en accueillir un autre, un petit trésor à adorer, elle se montra d'abord inconsolable et pleura toutes les larmes de son corps entre les bras de son fils et de son mari. Puis elle misa finalement sur la vie. Jean-Claude ne s'était pas trompé en conseillant à Rémi de faire l'annonce à ce moment précis. Marjolaine releva la tête en s'éloignant de la tombe et en refermant elle-même la porte du cimetière. La vie venait de reprendre ses droits.

Quant à Lydia, contrairement aux appréhensions de sa belle-sœur, elle accepta la nouvelle de la grossesse de sa fille avec excitation.

— Tu vois, Tonia, ça ne peut pas toujours mal aller. Tu as trouvé l'amour au Canada et tu vas me rendre grand-mère tout comme Marjolaine. Wow !

Ainsi, la vie continuait. Bras dessus, bras dessous, les deux grand-mères ne tardèrent pas à se rencontrer au centre commercial afin d'équiper les futurs parents : petit berceau, langes, couches, biberons et poussette d'occasion. Quoi de mieux pour se changer les idées ? Le déménagement du couple fut remis à l'année suivante. Mieux valait attendre un moment plus favorable. Après tout, le bébé pouvait bien occuper la chambre de son papa et de sa maman durant quelques mois.

En dépit des nausées et de la fatigue usuelle des premiers mois, Tonia put cependant terminer sa session de collège et passer les examens de fin d'année du Conservatoire de musique. À bien y penser, c'est comme flûtiste qu'elle désirait vivre sa vie. Comme flûtiste et… comme mère de famille, l'un n'empêchant pas l'autre. Peut-être même pourrait-elle, un jour, enseigner la flûte tout en élevant ses enfants ? Au grand bonheur de Lydia, de Marjolaine et d'Ivan, elle décida de vivre sa grossesse, le nez dans ses partitions et flûte à la main. Ce petit-là connaîtrait Bach, Mozart et Beethoven avant sa naissance !

Une seule chose dérangeait Lydia, à vrai dire, et beaucoup moins Tonia : la future maman attendait un bébé hors mariage. Plus jeune et plus libertine, et plus en mesure de prendre ses distances vis-à-vis de l'enseignement et des règles de l'Église, comme le faisaient maintenant la plupart des Québécois, la fille se faisait moins de scrupules que la mère à ce sujet.

On décida néanmoins d'organiser rapidement un petit mariage privé, histoire d'éviter le scandale pour Lydia, encore fragile mentalement. De toute manière, les futurs parents se juraient un amour éternel et avaient bien l'intention de passer leur vie entière ensemble. Se marier à l'église ne représentait à leurs yeux qu'une simple formalité pour officialiser leur union et « faire plaisir à la belle-mère ! », selon Rémi.

C'est ainsi qu'un samedi après-midi du début de mai, Rémi Legendre épousa en bonne et due forme la jeune et belle Tonia Lesic, radieuse et heureuse d'unir sa vie pour le meilleur et pour le pire à l'homme « le plus fin et le plus brillant du Québec ».

Rémi ne regretta qu'une seule chose : Alain, une fois de plus en Chine pour quelques mois, ne pouvait pas lui servir de témoin. Son frère s'en chargea néanmoins avec plaisir, tandis que Tonia réclama la signature de sa mère dans le grand livre du curé.

Bien sûr, on sabla le champagne, rue Durham, et on savoura les mets croates que Lydia avait préparés à l'avance. *Strukli*[2], *kiseli kupus*[3], *cevapcici*[4] et *krvavica*[5] se retrouvèrent au menu. Contrairement aux autres invités, la jeune épouse se contenta d'une unique gorgée de vin mousseux, en raison de sa grossesse, mais elle se délecta des différents plats de son pays.

La soirée se termina tôt, et le lendemain, les nouveaux mariés se dirigèrent vers la ville de Québec en guise de lune de miel, fin de semaine offerte aux amoureux par le pianiste-vedette de la famille.

---

2. *Strukli* : beigne au fromage blanc.
3. *Kiseli kupus* : chou mariné.
4. *Cevapcici* : boulettes de viande hachée avec oignons.
5. *Krvavica* : charcuterie.

CHAPITRE 22

Le mois de mai embaumait enfin l'air de parfums subtils, et des pensées bleu et mauve réapparurent dans la boîte à fleurs d'Ivan, sous la fenêtre du salon. Le printemps ramena surtout des rayons de soleil plus chauds au fond des cœurs et des nuances plus sereines sur les visages des proches de Marjolaine et d'Ivan.

Rémi adorait son emploi d'intervenant social au centre Les Papillons de la Liberté. Vu sa jeunesse, les résidents voyaient en lui bien plus un ami exemplaire qu'un travailleur officiellement payé, savant et au-dessus de tout, et chacun prenait les avis et les recommandations du jeune homme à la lettre. À la maison, le futur père comblait de mille et une petites attentions sa femme dont le ventre commençait à se manifester légèrement sous la jupe.

Marjolaine n'aurait jamais cru voir un jour son fils dans un tel état de plénitude et de ravissement. Elle ne le reconnaissait plus et souhaita ardemment qu'il ait définitivement trouvé sa véritable voie. De toute évidence, il vivait un grand amour avec Tonia, et ils attendaient leur enfant avec fierté et impatience. Malgré leur jeune âge, tous les deux avaient vécu, ces dernières années et chacun à sa manière, des événements à ce point difficiles que la maturité était venue bien avant son temps. Maintenant mari et femme, ils deviendraient de bons parents, elle n'éprouvait aucun doute là-dessus, tout comme François et Caroline, avec leurs deux petits trésors.

Samiha, elle, achevait sa maternelle avec un bilan scolaire des plus satisfaisants, en dépit de ses nombreuses absences pour aller régulièrement passer des tests de contrôle à l'hôpital afin de maintenir sa bonne santé de façon permanente. À l'école, elle avait vaincu l'intimidation petit à petit et réussi à prendre sa place au sein de sa classe, n'acceptant plus les remarques agressives et méchantes de certaines têtes fortes. Un jour, lors d'un petit exposé oral, elle s'était elle-même imposée en racontant, devant tous, posséder un rein de son père, un grand pianiste réputé. Après avoir expliqué sa maladie en long et en large, elle avait soulevé ses vêtements pour montrer la cicatrice, ce qui, bien sûr, avait suscité la curiosité et le respect, et même l'admiration de tous les élèves. Ce fait avait évidemment mis un terme définitif aux moqueries au sujet de son accent de France, de moins en moins prononcé, d'ailleurs.

Quant à Lydia, la joie de devenir bientôt grand-mère avait révolutionné sa vie. Non seulement sa dépression semblait une histoire du passé, mais elle s'intégrait de mieux en mieux à la société d'ici, en particulier depuis qu'elle avait troqué son emploi de serveuse pour celui, plus lucratif et surtout plus agréable, de commis dans un magasin à grande surface. Cela lui permettait de côtoyer une clientèle principalement québécoise, en plus d'apprendre le nom de tous les objets se trouvant dans les rayons et d'intégrer les expressions des clients et même de s'en servir d'une façon tout à fait appropriée.

Ainsi, elle savait que, malgré le « tabarnak » qu'il venait de lâcher et même si « c'était ben de valeur » de ne plus trouver en magasin « la bonne grandeur » de blouse qu'il désirait pour « sa blonde », son client, « en titi », « en dénicherait ben un autre ailleurs, c't'affaire ! ».

Un certain voisin de sa rue, veuf lui aussi, avait même commencé à lui faire de l'œil, mais Lydia ne lui répondait que vaguement.

— Chaque chose en son temps, avait rétorqué Marjolaine en riant, lorsque sa belle-sœur lui en avait parlé. Quand tu seras prête, tu te laisseras bien « minoucher ».

— Je « pogne pas les nerfs » à ce sujet-là, moi ! Ça arrivera bien, un de ces jours, mais… pas « tu-suite » !

Pour l'instant, Lydia se contentait de vivre paisiblement avec Anika, redevenue une écolière en train d'assimiler facilement le programme, répétitif pour elle, de cinquième année dans sa classe d'accueil en français, qu'elle avait déjà complété en Croatie. En septembre prochain, elle maîtriserait suffisamment la langue et les matières pour s'intégrer dans une classe normale de sixième, malgré la perte d'une année scolaire consacrée à apprendre le français. En plus de sa petite cousine Samiha qu'elle adorait, elle s'était fait de nombreux amis et, en ce qui la concernait, on pouvait parler d'inté-gration facile comme pour sa sœur aînée. Ballon-panier, danse et musique, la fillette y allait à fond de train. Quant au piano, Mélanie Trudelle la poussait à l'extrême, même durant la saison chaude. Pas question d'abandonner l'instrument durant les mois d'été !

Ce cher Ivan… Lui s'était intégré au Québec le temps de le dire. Le fait qu'il maîtrisait parfaitement le français en arrivant ici l'avait certainement aidé. De plus, qui, mieux que lui, pestait contre la dureté et la longueur de l'hiver et se réjouissait de voir enfin poindre le printemps ? Qui, mieux que lui, ne ratait jamais une partie de hockey des Canadiens à la télé ? À cet effet, Jean-Claude Normandeau allait rudement lui manquer pour visionner les joutes ensemble et discuter stratégie en sirotant une bière. Qui, mieux qu'Ivan Solveye, adorait le combo pizza-frites ou encore le poulet des rôtisseries St-Hubert ? Qui, mieux que lui, lançait parfois un sacre en travaillant le passage difficile d'une pièce de piano ? Ivan était devenu un citoyen québécois à part entière et il détenait maintenant un passeport canadien dont il se montrait très fier.

À l'université, ses élèves l'adoraient et il était apprécié tout autant par ses patrons. Accueillir en résidence un pianiste d'une telle envergure, gentil de surcroît, ne manqua pas d'améliorer le prestige de la Faculté de musique, ces dernières années. Sollicité de toutes parts, il réussissait néanmoins à se garder du temps pour Marjolaine et Samiha. La relation amoureuse entre l'écrivaine et le pianiste se poursuivait, s'étirait, s'approfondissait, toujours aussi intense et passionnée, basée non seulement sur la fusion des corps, mais surtout sur celle des âmes.

À la vérité, Marjolaine se sentait comblée par cet homme, autant que par ses enfants et petits-enfants, sans oublier l'écriture et sa vie d'auteure. Le manuscrit *D'amour et d'espoir*, la fameuse histoire inspirée d'un fait vécu, était terminé et rendu chez l'éditeur depuis à peine quelques jours qu'on lui préparait, à l'avance et sans l'avoir lu, un contrat d'édition.

Déjà, dans l'esprit de l'écrivaine, prenait place un nouveau projet, le premier tome de ce qui allait probablement devenir une série de deux ou trois romans. *Au-delà de l'horizon*, œuvre contemporaine, raconterait la venue de Mexicains au Canada pour demander l'asile politique. La décision des services de l'immigration mettrait des années avant de tomber dramatiquement : refus et obligation pour la famille de retourner dans son pays. Les parents de trois enfants, dont un était né ici, décideraient alors de demeurer clandestinement au Québec. Hélas, devenus des sans-papiers, ils devraient déménager continuellement. Quant aux enfants, désormais considérés comme des illégaux sauf un, ils seraient acceptés seulement par charité dans certaines écoles. La suite restait à inventer.

Cette histoire ne tournerait pas comme celle de sa belle-sœur, Lydia, et elle empêchait parfois son auteure, bouleversée, de dormir… Tant pis! Qui sait si ce drame réaliste et bien écrit n'allait pas réveiller la conscience collective et obliger les autorités gouvernementales à réviser certaines façons de faire concernant l'immigration? Le prix littéraire qu'elle détenait ne prouvait-il pas hors de tout doute que Marjolaine Danserot était en mesure de gérer sur papier et de rendre réel le tragique d'un drame concrètement et cruellement vécu par des êtres innocents?

Quant au film promis par le réalisateur-scénariste à partir de son roman *Le Miracle*, rien ne se concrétisait encore. «Il faut s'armer de patience», avait dit le cinéaste, et Marjolaine en avait.

Pour le moment, elle en était à l'organisation de son voyage en Suisse, prévu pour le 22 juillet, où elle retrouverait les auteurs connus au château de Manuello, cinq ans auparavant. Rendez-vous à Genève, à la porte de l'édifice principal du complexe de l'Office des Nations Unies, à cinq heures pile. Cinq ans déjà… Comme il s'en était passé des choses! À bien y songer, sa vie s'était entièrement métamorphosée à partir du moment précis de ce séjour au château, et son existence avait irrévocablement changé pour le mieux.

À part Agnès Lacasse, surgie de nulle part au Salon du livre de Montréal, des années auparavant, et ayant accompagné Ivan entre Bruxelles et Fontainebleau, quelques mois plus tard, Marjolaine avait établi peu de contacts avec les autres auteurs. Si Paolo lui envoyait de temps à autre un petit mot gentil, comme il l'avait fait dernièrement, du Marocain Mustapha et de la Coréenne Cho Hee, elle ne recevait aucune nouvelle, sauf un bref salut amical, plus traditionnel que personnel, pour la période des Fêtes, chaque année.

Un bon matin, n'y tenant plus, elle envoya un courriel à tous afin de confirmer leurs retrouvailles à l'endroit, la date et l'heure préalablement fixés. Comme Marjolaine s'y attendait, tous répondirent affirmativement, excepté Agnès Lacasse, naturellement. Fidèle à elle-même, elle affirma ne pas répondre de ses actes deux mois à l'avance. Elle se déciderait à la dernière minute.

La traductrice et dramaturge belge changea son fusil d'épaule, cependant, quand Paolo annonça à tous, deux semaines plus tard, avoir obtenu de la Fondation Manuello la permission d'utiliser, exceptionnellement pour leur rencontre, le château durant quatre jours. Pour une raison inconnue, le groupe d'auteurs sélectionnés pour y séjourner se trouvait dans l'obligation d'annuler temporairement et laisserait le château vacant durant ces quelques jours. Les autorités se réjouissaient donc d'avoir le plaisir de recevoir de nouveau ces anciens invités.

Par contre, il faudrait devancer la date d'une semaine et assumer les frais de séjour, dépenses que les auteurs auraient eu à payer dans un hôtel de Genève, de toute façon. « Bon, je vais m'arranger pour y aller », avait immédiatement répliqué la Belge, et cela fit sourire Marjolaine. Sans doute espérait-elle encore rencontrer les fantômes de la petite Manuella et de sa mère. Cette femme, autrefois propriétaire du château, était décédée à la naissance de l'enfant folle trouvée morte, quelques années plus tard, dans le grenier de la somptueuse demeure, au siècle précédent.

Malheureusement, le changement de date convenait moins à Marjolaine et à Ivan. Le couple était censé se retrouver à Genève, au terme des quelques jours passés par l'écrivaine dans un hôtel, en présence des autres auteurs. Ensemble, elle et Ivan avaient prévu refaire, tel un pèlerinage, une tournée dans les Alpes suisses. Les nouvelles dates de cette petite excursion coïncidaient maintenant avec un concert et des classes de maître d'Ivan, au cours d'un festival dans la ville de Toronto, pour lesquels il avait signé des contrats dont il ne pouvait plus se soustraire. On tenta alors de trouver une formule de rechange.

— Faute de pouvoir se rejoindre après ma rencontre avec les auteurs, mon chéri, pourquoi ne pas partir tous les deux plus tôt, alors? On pourrait passer notre semaine ensemble, puis tu me déposerais au château et tu pourrais prendre l'avion directement vers Toronto.

— J'ai bien peur que ça ne soit pas possible, mon amour. Certains de mes élèves doivent donner un récital au cours de cette semaine-là. Il s'agit d'un concert dans une église, dans le cadre du Festival musical d'été de Lanaudière. Tu sais ce que c'est : je dois me trouver sur place, non seulement pour vérifier l'accordage du piano et fignoler certains passages à la dernière minute, mais aussi pour calmer ces jeunes et les aider à gérer leur stress. Il s'agit pour eux d'une expérience très précieuse faisant partie de leur cours, et cela relève de ma tâche d'enseignant, tu comprends? Comme professeur, il m'est absolument impossible de les abandonner à ce moment précis, je suis désolé, je t'assure.

— Je peux comprendre ça, Ivan, mais ça me déçoit énormément.

— Je n'ai pas le choix.

— J'avais pourtant hâte de passer un séjour en ta compagnie. C'est fou, j'avais envie de retourner nager avec les cygnes du lac Léman et de repartir avec toi à la recherche d'edelweiss dans les montagnes. J'aurais même voulu pénétrer de nouveau dans la petite chapelle de bois rond tout en haut de la montagne, comme nous l'avions fait, tu te rappelles?

— Oui, bien sûr que je me rappelle! Écoute, ma chérie, ce n'est que partie remise. On ira plutôt cet automne.

— On s'était déjà promis d'y aller l'automne dernier. Il me semble que cela fait plusieurs fois qu'on remet ça. Trop de fois! Est-ce que je me trompe?

Ivan se contenta de hausser les épaules. De toute évidence, il n'y pouvait rien. Marjolaine irait seule en Suisse.

CHAPITRE 23

— Bonjour, madame Danserot. Comment allez-vous ? Vous n'avez pas changé du tout !

— Vous exagérez, madame Berthe ! Avec tout ce que j'ai vécu depuis cinq ans, j'ai bien dû acquérir une petite ride ou deux.

— Eh bien, ça ne se voit pas ! Des rides de sourire, sans doute. Êtes-vous heureuse, au moins ?

— Oui, oui ! Ma vie s'est remplie outre mesure, mais je consacre toujours une place importante à l'écriture. Et vous ?

Chignon, lunettes sur le bout du nez, robe trop longue et tablier blanc pour envelopper ses rondeurs, l'employée du château n'avait guère changé, elle non plus.

— Moi ? Bof… peu de choses ont varié, à vrai dire. Euh… excusez-moi, tout le monde semble arrivé. On vous attend sur la véranda, je crois. Vous prendrez bien un verre de vin blanc ?

Ils s'y trouvaient tous, en effet, avec un sourire à la fois curieux et content de ces retrouvailles. Si Mustapha avait pris un peu de poids, Paolo, ce jeune poète sportif et rêveur, paraissait plus beau que jamais. Agnès avait naturellement conservé ses allures de vamp et Cho Hee restait toujours aussi menue, quiète et effacée.

Marjolaine se réjouissait tellement de les revoir tous qu'elle sentit un flot d'émotions lui serrer la gorge en les embrassant tour à tour.

— Vous voilà tous débordants de vie et de santé, et chacun de vous continue à écrire… Quelle merveilleuse nouvelle ! Je m'en réjouis sincèrement. Sachez que je vous considère encore et toujours comme mes amis.

Pour elle, les auteurs représentaient tous, à leur manière, un phare lumineux de l'existence, la preuve réelle que leur art – en l'occurrence le sien – se portait à merveille, que le temps de gloire des écrivains perdurait, que la littérature demeurait bien vivante, porteuse d'histoires et de portraits sociaux, messagère de poésie, de réflexions et d'idées. Ils étaient là, eux comme elle, possesseurs d'une voix à la fois silencieuse et éloquente et, surtout, combien importante ! Une voix dotée d'immenses pouvoirs, capable non seulement de décrire et de toucher les cœurs, mais aussi de convaincre, de persuader, d'influencer. Peut-être même de changer le monde…

— Ah ! Merci à tous d'être venus !

La fête dura pratiquement toute la nuit. Tout en dégustant un repas pantagruélique, chacun y alla de sa petite histoire et de son cheminement, non seulement dans sa carrière d'écrivain, mais tout autant dans sa vie personnelle.

Paolo s'était marié, l'an dernier, avec une danseuse de ballet classique, « question de rallier l'athlétisme, la poésie et la musique », pensa Marjolaine. Il songeait même à fonder une famille.

Cho Hee continuait d'œuvrer comme journaliste en Allemagne et elle avait publié deux nouveaux romans en Corée du Sud, traduits par la suite en allemand. Elle était toujours l'épouse d'un Berlinois et l'une de ses filles, mariée l'année précédente, allait bientôt lui donner un premier petit-fils, ce qui déclencha quelques conseils de la part de la grand-mère québécoise.

Mustapha, lui, à tout jamais fidèle à la même femme, parlait d'émigrer incessamment aux États-Unis.

— Pourquoi pas au Québec? s'était empressée de rétorquer Marjolaine.

— Mon fils se trouve déjà au Wisconsin, et j'aime beaucoup les Américains, avait-il répondu sur un ton quelque peu condescendant.

Agnès, elle, avait fini par enterrer son mari et habitait en solitaire à Bruxelles. Solitaire paraissait un très grand mot, car à lui voir l'allure émoustillante, elle ne devait pas manquer d'amants. Si son premier roman érotique avait remporté un certain succès, le suivant était resté dans l'ombre, de même que sa dernière pièce de théâtre. Mais Agnès continuait de vivre du profit de ses traductions et, particulièrement, de ses œuvres ésotériques dont elle inondait le marché. Quand elle s'informa au sujet d'Ivan, Marjolaine se contenta de lui répondre qu'il se portait bien, sans rien ajouter.

La Québécoise, quant à elle, suscita la curiosité générale avec son parcours de vie depuis cinq ans.

— Moi, j'ai divorcé et me suis remariée l'année passée avec quelqu'un rencontré ici même, à Manuello.

— Quoi? Quelqu'un rencontré ici, à Manuello? On n'a jamais rien su de cela! Mais de qui parles-tu donc?

— Vous vous rappelez le soir de la lecture publique? Le grand pianiste Ivan Solveye y avait assisté.

— Hein? Ivan Solveye est venu au château? On ne l'a jamais su! Il aurait pu nous jouer quelque chose sur le grand piano, non?

— Ivan s'est présenté incognito, ce jour-là. Même moi, je ne l'ai pas reconnu. Mais il est revenu deux jours plus tard, soit le dernier soir où j'étais demeurée seule dans le château, vous vous rappelez? Tout le monde partait la veille, et moi, seulement le lendemain.

— Et il est revenu pour te rencontrer? Comment cela? Grands dieux, que nous racontes-tu là?

— Vrai comme je m'appelle Marjolaine Danserot, Ivan Solveye s'est présenté, ce soir-là, pour me remercier d'une lettre d'admiration que je lui avais envoyée quelques semaines auparavant et… et… Eh bien, voilà! Ce fut un véritable coup de foudre, et cela m'a fatalement menée au divorce. Ivan et moi, on a fini par se marier, après de multiples péripéties, car il habitait en France et moi, au Canada. Un vrai roman, je vous dis! Il a une fillette qui est maintenant devenue la mienne. Sans compter que l'un de mes deux fils m'a rendue grand-mère à deux reprises durant ces cinq années. D'ailleurs, je le deviendrai bientôt une troisième fois grâce à mon autre garçon.

— Wow! Quels beaux changements dans ta vie! Des changements draconiens, on dirait… Nos meilleurs vœux, chère Marjolaine!

Naturellement, Agnès en profita pour laisser entendre qu'elle-même avait eu la chance unique de fréquenter le fameux Ivan Solveye durant quelques jours, entre la Belgique et la France. Ces affirmations poussèrent Marjolaine à l'exaspération. Qu'avait-elle d'affaire, cette vilaine, à raconter ce fait, et en quoi cela pouvait-il intéresser les autres? Leur laisser croire qu'elle avait vécu une aventure amoureuse avec le beau pianiste, peut-être? La Québécoise lui jeta un regard meurtrier et Agnès réalisa qu'il valait mieux ne pas poursuivre.

On trinqua alors à la santé, au bonheur et au succès de tous. Mustapha demanda si chacun avait l'intention d'écrire au cours de ces quatre prochains jours.

— Évidemment! Bien sûr! Indubitablement! Bien entendu! Certain! Ça va de soi! Sans faute! Et comment donc!

Les voix avaient fusé en chœur, à l'exception de celle d'Agnès qui, elle, n'avait que l'intention de se reposer et de dormir tout son soûl, dans sa même chambre située dans un recoin du château.

C'est ainsi que chacun reprit ses vieilles habitudes comme si sa venue d'il y a cinq ans s'était produite la veille.

Marjolaine ne croyait pas que tant d'éléments avaient à ce point marqué sa mémoire. Bien sûr, il y avait ce piano à queue sur lequel Ivan avait interprété Beethoven et Debussy pour elle, uniquement pour elle, le dernier soir. Ou n'était-ce pas plutôt le premier? Le soir où tout avait commencé, à vrai dire. Et ce grand lit à baldaquin où il lui avait fait l'amour pour la première fois, elle s'en souvenait comme si c'était hier. Le bleu de cette soie…

D'autre part, elle se rappelait tout autant son premier soir au château, où elle s'était demandé de quel côté dormait autrefois l'auteur italien, père de la Fondation Manuello. Puis, il y avait cette table installée dans la roseraie sur laquelle elle avait écrit des lignes mémorables pourtant mal reçues par la critique. N'était-ce pas là qu'elle avait aperçu pour la première fois un papillon blanc, apparu dans un moment d'élévation de son âme, pour lui rappeler, avec une quasi-certitude, l'existence du surnaturel? Que dire du parasol, au fond du jardin, dont la silhouette faisait penser à une sorcière quand on le refermait, la nuit?

Elle se réinstalla justement à cette table dès le lendemain matin, tablette et plume à la main, trop contente de humer l'odeur des roses et de contempler la vue imprenable sur les montagnes enneigées, par-delà les vignes et le lac Léman. Elle ne retrouva, cependant, ni inspiration ni papillon, se sentant davantage obnubilée par la rétrospective des cinq dernières années. Un divorce, un mariage, de nouvelles fonctions de mère et de grand-mère, la promesse d'un film et un prix littéraire, sans oublier l'apparition trop courte de son ami Jean-Claude dans son existence. Quoi demander de plus à la vie ? Et que lui réservait l'avenir avec un mari et une enfant ne possédant chacun qu'un seul rein ? Elle préféra ne pas y songer. Mieux valait aborder les jours un à la fois.

Au bout d'une heure de méditation, elle se releva et pénétra dans le château baignant dans le calme. Elle demeura interdite à la vue du canapé où elle attendait, chaque midi, les appels téléphoniques d'Alain, appels qui ne venaient pas toujours.

Ceux d'Ivan, cinq ans plus tard, ne venaient guère plus souvent. Que se passait-il donc à la maison ? Pas de nouvelles hier, jour de son arrivée, et pas encore de nouvelles ce midi… Les élèves du pianiste se préparaient pour un concert au cours de cette semaine-là, certes, mais cela ne constituait pas une raison valable pour ne pas lui téléphoner et échanger sur la famille et, pourquoi pas ? pour prononcer quelques mots d'amour. Ne devait-il pas l'appeler au château vers l'heure du dîner, en calculant les heures de décalage du Québec sur l'heure de la Suisse ?

La veille, elle avait bien composé elle-même le numéro de téléphone de la maison en laissant des messages dans la boîte vocale à trois ou quatre reprises, de même que celui du téléphone portable d'Ivan, sans toutefois obtenir de réponse. Évidemment, quand Ivan enseignait à l'université, il n'était pas question pour lui de répondre aux appels. Par contre, en dehors de ces heures… En principe, une gardienne devait s'occuper de Samiha jusqu'à l'arrivée de son père à l'heure du souper. Peut-être Ivan avait-il emmené sa fille souper au restaurant, hier soir ? Mais au retour ? Et la vidéoconférence, ça existait, non ?

Le lendemain, donc, Marjolaine n'avait toujours pas réussi à communiquer avec Ivan et elle n'osa plus quitter le château, de peur de manquer son appel. Rendu au soir, Paolo prit conscience que quelque chose d'anormal se passait concernant Marjolaine. Il insista tout de même, dans un français fort amélioré, pour que la Canadienne se joigne au groupe pour aller marcher à la noirceur, après le repas, parmi les vignes entourant le château.

— Tu te rappelles, Marjolaine ? On s'était tenus bras dessus, bras dessous sans prononcer un seul mot, nous, cinq écrivains des quatre coins de l'univers. Pour moi, cela avait constitué un moment crucial, le plus extraordinaire de tout mon séjour à Manuello. Je n'ai jamais oublié cela et j'adorerais recommencer.

— Cette randonnée s'est avérée tout aussi prodigieuse pour moi, Paolo, et elle m'a profondément marquée. Cette solidarité implicite, cette complicité, ce silence solennel, cette fusion de nos âmes outre-passant celle de nos corps se tenant par les bras dans la noirceur totale… Cinq âmes de par le monde et à l'état pur, soudain liées, soudées l'une à l'autre, cinq âmes créatrices réunies là, dans l'ombre et le secret des vignes, dans le mystère de la nuit. Cela restera à jamais gravé dans ma mémoire, tu peux me croire !

— Alors, viens-t'en ! Le miracle a bien des chances de se repro-duire, ce soir. Nous y allons tous et tu ne peux pas manquer cela !

— Mais je n'ai pas de nouvelles de chez moi depuis deux jours, et ça m'inquiète beaucoup. Ivan devait me téléphoner hier soir ou au plus tard ce midi. J'ai beau tenter de l'appeler moi-même, personne ne répond, ni à la maison ni sur son portable. Il ne peut pas m'avoir oubliée, tout de même, ça ne se peut pas! S'il fallait qu'il soit arrivé quelque chose ou que Samiha…

Marjolaine jugea bon de donner à Paolo quelques précisions sur la santé bien particulière de l'enfant. L'Argentin l'écouta avec empathie, mais il insista néanmoins en lui tapotant la main.

— Tu appelleras au retour, Marjolaine. On partira pendant une heure ou une heure et demie à peine, il ne faut pas manquer ça!

Elle finit par se rendre à sa demande, mais la promenade s'avéra toutefois décevante. La pleine lune rayonnait de tous ses éclats au bout du champ, venant contraster avec la noirceur totale de la dernière fois, et il ne fut pas nécessaire de se rapprocher pour se soutenir mutuellement par la main ou par le bras. Est-ce pour cette raison ou à cause du silence qui ne fut pas respecté par Agnès? La sortie, si elle sembla tout de même agréable pour tous, ne mena guère aux confins du mystère et du nirvana comme elle l'avait fait, cinq ans auparavant.

À Marjolaine, cela rappela toutefois une autre balade, celle en compagnie d'Ivan, à peine quelques heures après leur première rencontre. De retour au château, elle s'empressa de tenter de joindre le pianiste une fois de plus au téléphone, mais toujours sans résultat. N'y tenant plus, elle composa le numéro de sa belle-sœur.

— Lydia? Excuse-moi de te déranger. Comme tu le sais, je t'appelle de Suisse car je n'ai pas de nouvelles d'Ivan depuis trop longtemps. Je suis un peu inquiète, je t'avoue. Aurais-tu une idée de ce qui se passe?

— Non, pas vraiment. Jusqu'à hier soir, en tout cas, tout se déroulait bien. Je l'ai invité à souper ici avec Samiha. Après le repas, il a assisté à la leçon de piano d'Anika avec Mélanie Trudelle, puis il a offert à la prof d'aller la reconduire chez elle, car sa voiture se trouvait au garage. Je n'en sais pas davantage. Ivan ne t'a pas encore appelée ? Ça me surprend ! Sans doute a-t-il considéré qu'il était trop tard pour toi, hier soir, à cause du décalage. Il va sûrement se reprendre ce soir, ne t'en fais pas.

— Il est déjà minuit pour moi, Lydia... Et ici, au château, l'unique téléphone ne se trouve pas sur le même étage que ma chambre. Bon, je te laisse, c'est l'heure du souper chez toi, je suppose. S'il te plaît, si tu pouvais joindre Ivan et lui dire de m'appeler à la première heure demain matin, j'apprécierais. Je te souhaite une bonne soirée.

Marjolaine remonta lentement et d'un pas lourd les marches du grand escalier de marbre et se dirigea vers le milieu du corridor en cherchant sa clé. L'espace de quelques secondes, elle en voulut à Ivan. L'art de gâcher le séjour de sa femme, à six mille kilomètres de distance...

Au moment où elle allait pénétrer dans sa chambre, elle perçut des bruits bizarres dans la chambre voisine. Elle ne fut pas longue à deviner qu'il s'agissait d'incantations et d'invocations probables d'Agnès à l'intention de la Grande Déesse et du Dieu cornu, représentants de toutes les divinités. La Belge lui avait raconté être devenue *wiccane*, un état différent de celui de sorcière. Le rituel s'avérait plus philosophique et s'ouvrait sur la connaissance de soi-même et sur les questions fondamentales, procurant ainsi une plus grande force intérieure. « Quelle folie ! », songea Marjolaine. Agnès avait dû organiser une cérémonie avec des chandelles de couleurs différentes aux quatre coins de sa chambre pour chercher, une fois de plus, à communiquer avec les soi-disant fantômes du château auxquels, selon ses dires, elle avait rêvé la semaine dernière, qualifiant ce rêve de songe prémonitoire.

Marjolaine se demandait bien comment Ivan avait fait pour supporter une telle femme pendant ses trois jours de route de Bruxelles jusqu'à Fontainebleau. Elle se rappelait avoir éprouvé quelques vagues doutes les concernant, à l'époque. Tiens, tiens, une vilaine petite lumière s'alluma tout à coup dans son esprit. Si des présomptions étaient survenues au sujet d'Agnès Lacasse, il y avait de cela quelques années, elle ressentait une puissante méfiance à propos de Mélanie Trudelle, pas plus tard que… maintenant! Oh là là! Serait-elle une femme jalouse, par hasard? Et si elle avait raison?

Elle imaginait facilement le scénario: Ivan invitait la belle Mélanie, rue Durham, à prendre un verre au lieu de la reconduire immédiatement chez elle, il mettait rapidement Samiha au lit, et… Non, non, non! Tout cela n'avait aucun sens, elle fabulait! «Tu t'énerves encore pour rien!», lui aurait assurément dit Ivan. Et si, justement, il en avait assez d'une femme qui s'énervait pour rien, hein? Si le goût lui avait pris de changer d'air, ou plutôt de femme? Ou encore, s'il était un homme incapable de dire non aux aventures galantes et faciles que le hasard présentait sur son chemin, après cinq ans de fidélité? Elle n'en savait rien! N'avait-il pas conçu Samiha de cette façon? Et n'avait-il pas agi ainsi avec elle-même lors de sa fameuse dernière nuit au château? En quelques heures à peine, Ivan Solveye s'était retrouvé dans le lit d'une inconnue, après tout. Pourquoi pas dans celui de Mélanie Trudelle, maintenant? Hum…

Le téléphone près du grand salon ne sonna pour Marjolaine qu'à deux heures de l'après-midi, le lendemain, après une nuit sans sommeil et un avant-midi tout à fait nul, écoulé sur le canapé de style Louis XVI, les yeux rivés sur la cabine téléphonique du corridor, en face du piano à queue.

— Ivan? Enfin te voilà, mon amour! J'avais tellement hâte de te parler! Dis-moi que tout va bien.

— Oui, tout va bien. Je t'ai appelée au cours de la soirée d'hier, mais personne n'a répondu au château.

— Eh bien, tu aurais pu rappeler ! Nous sommes allés marcher dans les vignes pendant seulement une petite heure. Au retour, j'ai moi-même téléphoné à la maison, puis sur ton cellulaire sans obtenir de réponse. Que se passe-t-il ?

— J'ai emmené Samiha souper au restaurant, sans réaliser que la pile de mon portable était à plat. Au retour, comme ça ne répondait pas au château, j'ai pensé que tout le monde dormait. Comment vas-tu ?

— Bien, bien… C'est agréable de retrouver mes amis écrivains. Personne n'a vraiment changé. Et Samiha, elle va bien ? Je l'entends jouer au piano.

— Oui, Mélanie est en train de lui donner sa leçon.

— Aujourd'hui ? Un samedi matin ? Comment cela ? Elle vient le lundi soir, d'habitude.

— Euh… elle a dû changer son horaire cette semaine, je ne sais trop pour quelle raison. Et elle va en profiter pour nous fricoter un petit dîner, à Samiha et à moi. Tu connais mes habiletés culinaires. On va donc se régaler !

— Quoi ? Mélanie Trudelle va faire à manger dans ma cuisine, dans mes affaires ? Eh bien ! mon vieux, tu ne perds pas ton temps, on dirait !

— Que veux-tu dire par là ?

— Oh ! rien, rien du tout.

— Tu rentres toujours dans deux jours, mon amour ? Eh bien ! nous serons à l'aéroport, Samiha et moi, pour t'accueillir. En attendant, je t'embrasse. N'oublie pas de jouer *Für Elise* sur le grand piano du château, en souvenir de moi, hein ?

— C'est ça. Au revoir, mon chéri.

Marjolaine faillit lui demander si la chère Mélanie les accompagnerait à l'aéroport, toutefois, elle jugea plus prudent de se taire. Elle déposa le combiné en se mordant les lèvres. Non seulement elle ne jouerait pas *Für Elise* au piano, mais elle ne répondrait plus au téléphone ni aux appels de vidéoconférence d'ici à son départ.

Elle s'en retourna à sa table de jardin, sur la terrasse, incapable d'écrire. Elle manqua ainsi d'inspiration pour le reste du séjour pendant lequel le téléphone ne se manifesta plus.

Au moment de quitter le château, les adieux furent rapidement expédiés sans trop d'émotion, et nulle promesse de retrouvailles ne fut prononcée. Par pure coïncidence, l'horaire du départ de chacun confinait, une fois de plus, Marjolaine au château pour quelques heures de plus que les autres. Elle ne s'y fit pas prendre, cette fois, et préféra écouler ce temps à l'aéroport de Genève, à feuilleter des revues.

Mieux valait se distraire et tenter de maintenir son esprit serein avant d'affronter une réalité qu'elle prévoyait plutôt dure.

CHAPITRE 24

— C'est bien, Tonia, c'est même super! Mais tu dois mettre plus d'âme, surtout dans le dernier mouvement où ton jeu devrait ressembler davantage à une lamentation qu'à un chant d'exaltation. Et vers la fin, il faut entendre la révolte et la fureur gronder en toi. Les motifs féminins de l'allegro du début, pleins de délicatesse, symbolisent les mouvements gracieux de la nymphe dans les eaux calmes de la rivière, mais ils sont disparus maintenant. Ta flûte doit donc hurler de rage et crier vengeance.

Tonia buvait les conseils d'Ivan comme s'il s'agissait de paroles d'évangile. Bien sûr, elle connaissait par cœur la partition de la sonate d'Ondine♪ et, malgré sa grossesse qui lui donnait parfois des haut-le-cœur, elle arrivait à la reproduire rigoureusement et sans hésitation sur sa flûte traversière. Mais de là à la traduire de cette manière bien précise, il y avait un monde d'interprétations qu'elle se devait de conquérir avec l'aide de son oncle.

♪ Pour entendre ce morceau, visitez le www.quebec-amerique.com/coupsurcoup et sélectionnez l'extrait musical n° 26 : *Sonate pour piano et flûte, op. 167* de Carl Reinecke.

De son côté, l'accompagnatrice, Mélanie Trudelle, demeurait immobile sur son banc de piano, tout aussi attentive aux dires du professeur, qui ne manqua pas de l'inonder pareillement de remarques fort pertinentes.

— Toi, Mélanie, même si tu dois dialoguer avec la flûte la plupart du temps, en général, mieux vaut te contenter de l'enrober et de la caresser ni plus ni moins, surtout dans les *pianissimos*, que j'aimerais plus veloutés. Par contre, quand elle manifeste de la colère, vas-y toi aussi à fond de train sur le piano. Ça doit barder pour la pianiste autant que pour la flûtiste !

— Je veux bien, mais tu devrais m'apporter plus de précisions sur les endroits où le faire, Ivan.

— Bon, allons prendre une petite pause. Je vais vous raconter à toutes les deux la légende d'Ondine. Ça va certainement vous aider à mieux interpréter ce magnifique duo tellement expressif et haut en couleur.

Aussitôt dit, aussitôt fait ! Marjolaine qui écoutait la leçon de toutes ses oreilles dans la cuisine, à côté de Samiha en train de faire un casse-tête sur la table, apporta des cafés et des biscuits sur un grand plateau.

— Vous me pardonnerez, mais je ne peux résister à l'envie de connaître la légende d'Ondine, moi aussi. Me permettez-vous de m'asseoir avec vous ? Je serai sage, c'est promis !

— Évidemment !

Ivan s'empressa de lui tirer gentiment une chaise contre la fenêtre. À vrai dire, Marjolaine se demandait pour quelle raison il avait choisi de donner sa leçon de piano avec accompagnement à la flûte dans sa propre maison et par un beau samedi après-midi ensoleillé. Comme il comptait Mélanie parmi ses élèves, pourquoi ne pas lui transmettre son enseignement dans un studio de l'université durant un jour de semaine? Quant à Tonia, elle étudiait au Conservatoire, certes, mais elle aurait pu tout aussi bien se rendre à l'université pour travailler ce duo, d'autant plus qu'en raison de sa grossesse, elle avait maintenant abandonné le collège et qu'à part ses leçons de flûte et les exercices obligatoires, elle disposait de tous ses temps libres.

Depuis son retour de Suisse, la semaine précédente, Marjolaine n'avait pas reparlé des appels téléphoniques trop rares du pianiste au château Manuello, ni de ses doutes au sujet de sa relation avec la fameuse Mélanie. Étant donné la façon chaleureuse et sincère avec laquelle Ivan l'avait reçue à son retour, elle avait préféré balayer tout cela du revers de la main en se traitant, sans trop de fierté, de jalouse et de suspicieuse, tentant de se convaincre qu'il s'agissait d'une simple lubie. Après tout, la confiance mutuelle ne représentait-elle pas une condition *sine qua non* à la durée et à la survie d'un couple? À vrai dire, elle n'avait aucune raison de douter de la fidélité de son homme, à part les suppositions erronées de son imagination outrageusement débordante. Mieux valait en faire une histoire définitivement close.

Il faut dire qu'Ivan, après l'avoir accueillie à l'aéroport, s'était aussitôt envolé pour Toronto, d'où il n'était revenu que trois jours plus tard. Comme, depuis son retour, il se montrait toujours aussi tendre et amoureux d'elle, Marjolaine avait préféré taire son état d'esprit d'outre-mer et mettre un terme à cette affaire.

De voir la fameuse Mélanie faire irruption à l'improviste, ce jour-là, non pas pour donner sa leçon à Samiha, mais avec, sous le bras, des partitions de piano pour elle-même, l'avait prise au dépourvu et avait ranimé sa méfiance. Depuis quand un prof d'université enseignait-il chez lui, au beau milieu de la fin de semaine, sans raison valable ?

La raison valable vint d'elle-même pour calmer les soupçons inutiles de Marjolaine quand Ivan lui annonça, tout content, la dernière chose à laquelle elle s'attendait.

— Je voulais te faire une surprise, mon amour, mais là, je n'en peux plus de ces cachotteries. Alors, voilà : pendant ton voyage en Suisse, on m'a annoncé que Radio-Canada veut enregistrer une émission d'une heure sur moi. C'est pourquoi, on se prépare !

— Une émission sur toi ?

— Oui, oui, sur moi, ton fidèle serviteur ! On veut parler non seulement de ma vie professionnelle mais aussi un peu de ma vie privée, comme immigrant et père de famille, afin de présenter une suite à ma biographie, publiée il y a quelques années. La semaine prochaine, l'équipe de tournage me filmera pendant que j'enseigne à quelques élèves dans un studio de l'université et, plus tard, on va m'enregistrer en train de jouer un concerto avec un orchestre d'étudiants dans une salle de concert. Les caméramans ont d'ailleurs déjà pris quelques images des classes de maître et du concert donnés dernièrement à Toronto. Puis, ils viendront ici, rue Durham, pour entendre mes deux nièces et ma fille se produire musicalement, comme si elles constituaient une assurance génétique de continuité du musicien que je suis devenu. La relève familiale, quoi !

— Je n'en reviens pas !

— J'aimerais tant que Tonia perce comme flûtiste, elle a vraiment du potentiel, tu sais. De se produire à la télévision constituera une chance inouïe pour elle de se faire remarquer. Et Mélanie est ma meilleure élève, alors pourquoi ne pas les faire jouer ensemble ? Moi, on me verra plutôt avec de grands orchestres. Quant à Anika et Samiha, les deux cousines encore trop jeunes pour interpréter des pièces avancées même si elles débordent de talent, elles vont tout de même produire un duo. Bien sûr, les gens de Radio-Canada ne vont probablement retenir que quelques extraits de toutes ces prestations pour l'émission, mais pourquoi ne pas déployer notre meilleur ? Nous n'avons rien à perdre, après tout !

— Radio-Canada ! Quelle belle nouvelle, Ivan !

— Ils vont assurément mentionner que j'ai épousé une écrivaine québécoise et vouloir te questionner. Si tu préfères rester dans l'ombre et ne pas paraître à la télé, tu n'as qu'à me le dire, et on se contentera de divulguer ou non ton nom selon ton gré, rien de plus. Sinon, on viendra t'interviewer d'ici quelques jours. Quant à Samiha, on lui doit en quelque sorte une fière chandelle.

— Comment ça ?

— C'est un peu grâce à elle si tout cela se produit. Tu n'es pas sans savoir, Marjolaine, que Samiha a raconté devant toute sa classe posséder un rein greffé en provenance de son père, le grand pianiste Solveye. Bien sûr, elle a impressionné tout le monde, mais imagine-toi que le hasard a voulu que l'enfant le plus fasciné du groupe soit le fils d'un réalisateur de Radio-Canada, grand amateur de musique déjà venu m'entendre à la Place des Arts et qui a lu ma biographie. L'homme ignorait que j'habite au Québec depuis un certain temps. Devine le reste : le garçon raconte tout cela chez lui, un soir à table, et quelques jours plus tard, le réalisateur lui-même me téléphone à l'université pour me demander une entrevue.

— Et la petite coquine de Samiha a réussi à me cacher tout ça ?

— Je lui avais promis quelque chose, si elle gardait le silence.

— Pour l'amour du ciel, à quoi t'étais-tu engagé ? Je connais sa grande langue…

— On l'emmène à Walt Disney World, l'hiver prochain. Qu'en penses-tu ?

Samiha, ayant suivi toute la conversation et se sentant enfin libérée de son secret, ne put s'empêcher de sauter de joie, bien davantage à la pensée du voyage que de l'émission de télévision sur son père.

— Et Anika va venir avec nous, tu l'as juré, papa !

— Anika et Marjolaine, évidemment !

Une fois de plus, la mère essuya une larme, à la fois contente et étouffée de remords d'avoir éprouvé des doutes sur la fidélité de son mari. Ainsi, elle pouvait conclure que Mélanie se trouvait souvent dans le décor simplement pour des raisons professionnelles, rien de plus. Après avoir embrassé Ivan du bout des lèvres, elle s'empara de Samiha et l'installa sur ses genoux pour entendre raconter la légende d'Ondine.

— La jeune nymphe, Ondine, ne possédait pas une queue de poisson comme les autres sirènes. De plus, elle ne pouvait atteindre l'immortalité que si un homme l'aimait avec une fidélité rigoureuse et absolue. Son père décida donc de la cacher dans le fleuve Danube, en attendant de lui trouver un amoureux, et il la remplaça dans son château par Berthalda, la fille d'un pêcheur. Un jour, un preux chevalier, Huldebrand, vint au palais et, croyant que la fille du pêcheur était une princesse, il tomba amoureux d'elle. Fâché, le père résolut alors de provoquer une immense tempête pour envoyer le chevalier dans les eaux du Danube. Là, le jeune homme rencontra Ondine, l'épousa puis la ramena au château où résidait toujours la fille du pêcheur. Arriva ce qui devait arriver : le chevalier trompa son épouse avec Berthalda. Bafouée et victime d'infidélité, Ondine disparut à jamais sous les flots. Cependant, elle revint par un puits, la nuit des noces du chevalier et de la fille du pêcheur, pour le serrer une dernière fois dans ses bras jusqu'à ce qu'il s'étouffe et meure. On dit que de la terre recouvrant la tombe de Huldebrand a jailli une source inépuisable, alimentée par les larmes d'Ondine que l'on ne revit jamais plus.

Si la pianiste, la flûtiste et Marjolaine frissonnèrent d'horreur, Samiha, elle, n'y comprit strictement rien.

— Pas grave ! répondit immédiatement sa mère. Tu comprendras plus tard qu'il faut toujours rester fidèle. Et, surtout, ne jamais se venger.

Ivan reprit aussitôt, fort intéressé par l'interprétation musicale à donner à la légende par les deux musiciennes.

— Vous devez faire ressortir toutes les parties principales de la légende. En premier lieu, les balades sinueuses de la créature aquatique dans le Danube, puis le chevalier qui tombe amoureux de la fille du pêcheur, la colère du père et la tempête, les épousailles, la tricherie, la disparition d'Ondine et son chagrin d'amour, sa soif de vengeance et sa folie meurtrière. Regardons maintenant dans les feuilles de partition de quelle manière Carl Reinecke a marqué le passage de chacun de ces éléments.

Oubliant le reste de l'existence, Ivan se pencha sur la série de pages avec ses deux élèves. À la fois compétent et heureux, il se trouvait dans son univers à lui, hors du temps et de l'espace. Marjolaine le regarda amoureusement, se rappelant quelle chance elle avait de vivre auprès d'un être aussi extraordinaire. Comment ne pas remercier le ciel ? Mais quel ciel ? Elle eut une pensée pour Jean-Claude.

Deux heures plus tard, l'interprétation de la sonate s'était radicalement transformée. Les deux filles jouaient avec la plus formidable complicité qui soit, celle que seuls les excellents musiciens peuvent établir. Et même si le rythme devenait effréné, la flûtiste le supportait parfaitement, échangeant avec le piano, partageant avec lui certaines envolées ou lui donnant la réplique avec justesse. Tonia mit dans son exécution autant de sensualité que de rage, jusqu'à en ressentir une certaine gêne quand elle eut terminé. L'impression d'être allée trop loin dans l'expression de ses sentiments la rendait sans voix.

Ivan ne tarissait pas d'éloges.

— C'est sublime, c'est parfait ! Vous avez toutes les deux du talent et vous irez loin si vous continuez de la sorte. J'espère surtout que vous jouerez de la même manière quand on viendra enregistrer l'émission.

— À mon tour, à mon tour ! s'écria Samiha. Comme Anika n'est pas là, je veux jouer mon duo avec toi, mon petit papa d'amour.

En peu de temps, la fillette avait accompli des progrès faramineux et largement dépassé le calibre de son tout premier cahier. Voir le père et la fille assis côte à côte sur le banc de piano en train d'interpréter une pièce plutôt difficile remua Marjolaine jusqu'au fond de l'âme. Elle songea aux ancêtres de la famille Penkala. Hors de tout doute, le père ou la mère avait dû posséder un gène bien particulier pour la musique.

Quand l'animateur et les caméramans de Radio-Canada se présentèrent à la maison, deux semaines plus tard, non seulement les musiciennes étaient prêtes, mais Marjolaine et son homme également. Beaux vêtements, coiffure et maquillage adéquats, joli sourire et système nerveux moyennement maîtrisé, sans parler de l'aspirateur passé à la grandeur de la maison !

On questionna la femme de la vedette sur sa rencontre avec lui et les raisons de son immigration ultérieure au Canada. Marjolaine ne voulait pas s'étendre sur certains points, avec le souci évident de préserver sa vie privée et l'intimité de son couple. Par contre, elle insista sur la générosité d'Ivan quand il avait offert un de ses reins à sa petite fille et, plus tard, quand il avait fait venir sa sœur et ses nièces ici. Elle affirma également que le plaisir d'écrire et celui d'interpréter la musique se rejoignaient quelque part. À sa manière bien particulière, Ivan l'inspirait comme romancière.

On enregistra les deux cousines Samiha et Anika jouant habilement leur duo et, bien sûr, Mélanie et Tonia en train d'exécuter la sonate d'Ondine au grand complet pour laquelle elles se surpassèrent. Marjolaine remarqua avec satisfaction que l'on faisait très souvent des gros plans sur la flûtiste.

Ivan, quant à lui, se montra plutôt réservé et avare de commentaires. Qu'on le filme interprétant un concerto ou pendant qu'il enseignait, il voulait bien, mais en train de se raconter et de faire des confidences ? De toute évidence, le pianiste se confiait bien davantage à son piano qu'à un micro. Par écrit, dans une biographie, passe encore, mais à la télé ? À la fin du reportage, il se contenta de présenter quelques-unes de ses versions personnelles de *Jésus, que ma joie demeure*, sans expliquer pour quelles raisons, ni où et quand, il avait composé ces variations sur une cantate de Bach. Après tout, il en avait déjà parlé dans sa biographie, pourquoi le répéter ?

L'émission, prévue pour la fin d'octobre, serait un succès, assura le réalisateur, promettant d'envoyer au pianiste une copie de l'enregistrement avant sa diffusion.

CHAPITRE 25

L'immensité de la foule sur la plage de Cape May dépassait la mesure. À peine si Marjolaine, Ivan et les deux filles avaient trouvé un espace restreint pour y installer leur équipement parmi les multiples chaises pliantes, parasols, serviettes, parcs de bébé, poussettes et glacières des familles américaines en vacances. À gauche et à droite, une musique tonitruante émise par des radios portatives agaçait les oreilles, ponctuée par le sifflet strident des maîtres-nageurs à l'avant.

Quant à la mer d'un bleu éclatant et à ses énormes rouleaux déferlant sur le sable en cette belle journée ensoleillée, on les distinguait difficilement à travers les passants et les dossiers de chaises. Pour se rendre jusqu'à l'océan, il fallait zigzaguer parmi cet amoncellement d'installations de tout acabit pour enfin réussir à se tremper les pieds dans l'eau grouillante et plutôt glacée. Le plus difficile était de retrouver son emplacement au retour de la baignade.

— Hum! N'étions-nous pas venus ici pour nous calmer les nerfs et nous reposer? La belle affaire!

Marjolaine ne cessait de pousser des soupirs, incapable de quitter des yeux les deux cousines pendant plus de quelques secondes. Les petites ne voyaient pas les choses du même œil et s'en donnaient à cœur joie dans les vagues, qui ne manquaient pas de venir inlassablement étaler leur voile de dentelle sur le sable fin pour le retirer aussitôt. Si Anika, plus grande et plus raisonnable, se conformait facilement à la consigne de ne pas trop s'éloigner, Samiha, elle, folle d'enthousiasme et ivre de liberté, ne respectait pas les contraintes émises par sa mère. Elle avait tendance à s'avancer toujours plus loin dans les eaux de plus en plus profondes.

Marjolaine se consolait à la pensée que cette enfant se trouvait autrefois confinée dans une chambre d'hôpital pour recevoir des traitements d'hémodialyse. Grâce au greffon offert par son père, elle profitait maintenant à plein de la vie et rattrapait le temps perdu. Comment ne pas s'en réjouir et se morfondre en même temps à cause de la surveillance sans relâche exigée, non seulement sur cette plage, mais continuellement dans le quotidien ? Médicaments, alimentation, analyses, rendez-vous, ça n'en finissait jamais !

À ses côtés, Ivan, l'heureux homme, ne se préoccupait nullement des enfants et profitait davantage de ces vacances, que sa femme considérait par moments comme des pseudo-vacances.

— Encore une fois, tu t'énerves pour rien, mon amour. Les sauveteurs sont là pour les surveiller, et les petites ne vont pas se perdre, allons donc ! Et elles savent bien nager. Alors…

— Avec tout ce monde, je ne fais confiance à personne, moi.

À vrai dire, en cette fin d'août, il s'agissait d'un petit voyage imprévu, surgi de nulle part dans l'esprit d'Ivan. Quelques jours à la mer avant la session d'automne, pourquoi pas ? Pourquoi ne pas terminer l'été en beauté ? L'idée de ce congé avait vite fait son chemin, et on était parti sans se poser davantage de questions vers cette plage bondée du New Jersey, au sud de New York, qui avait bonne réputation. Trop bonne réputation, semblait-il, puisque des milliers de personnes de tous âges, de toutes couleurs et origines et de toutes les couches de la société avaient pris la même initiative. Trafic monstre, embouteillages, problèmes de stationnement et affluence incroyable partout dans les lieux publics, les restaurants, les boutiques et, surtout, sur la plage.

Mais le pianiste semblait imperméable à la présence de tant de vacanciers. Avec les filles, il se contentait de bâtir des châteaux de sable, de sauter inlassablement dans les vagues et de savourer chaque jour une crème glacée, et parfois deux. Puis, il plongeait tête première dans son livre et s'endormait finalement du sommeil du juste, affalé sur sa chaise longue comme s'il était tout seul au monde pendant des heures. À peine s'il jetait de temps à autre un regard distrait sur les jolies demoiselles en petite tenue se dandinant sur la plage, ce qui acheva de rassurer Marjolaine quant à son attirance pour les autres représentantes du sexe féminin. Ivan Solveye était un homme fidèle.

De son côté, elle ne prenait pas de répit et s'appliquait à l'observation vigilante des fillettes, l'œil sans cesse aux aguets. Heureusement, le survêtement tout blanc aux bras et aux jambes longues de Samiha, lui permettait de la repérer facilement parmi la foule en majorité largement dévêtue. Chaque matin, quand elle enfilait cet accoutrement, la petite protestait avec véhémence et non sans raison, d'autant plus qu'elle devait se couvrir la tête d'un chapeau à larges bords.

— Pourquoi je dois mettre ça, moi ? Tout le monde se promène en maillot de bain et pas moi ! Anika porte bien un bikini, elle !

— Ma chérie, je te l'ai expliqué cent fois. Le docteur exige de te recouvrir entièrement quand tu vas au soleil. À cause de tes médicaments, les rayons risquent de brûler ta peau.

— Même pas vrai ! Il connaît rien, le docteur ! Regarde mes mains et mes pieds, ils sont même pas rouges. Y en a pas, de brûlures !

— Samiha, ne deviens pas impertinente, je t'en prie. Tes mains, tes pieds et le bout de ton nez ne sont pas rouges pour la bonne raison que je les badigeonne d'écran solaire toutes les deux heures, compris ? Combien de fois vais-je devoir te le répéter ? Il vaudrait mieux te faire à l'idée, ma fille, car tu devras te protéger des rayons solaires durant toute ta vie.

La fillette faisait la moue et s'en allait rejoindre sa cousine avec son ballon sous le bras. À vrai dire, Marjolaine ne révélait qu'une partie de la vérité à Samiha. Des tumeurs cancéreuses de la peau surgissaient plus fréquemment chez les transplantés, semblait-il, à cause des médicaments immunosuppresseurs, et ce risque augmentait considérablement en cas d'exposition au soleil. D'où la nécessité, non seulement d'établir une protection maximale contre les rayons solaires, particulièrement sur une plage, mais aussi l'obligation d'un suivi dermatologique régulier chez un spécialiste.

Ce congé aurait dû faire du bien à Marjolaine. Hélas ! à cet endroit en particulier, il l'obligeait à mettre le doigt sur un problème qu'elle aurait enfin voulu éliminer de ses préoccupations, une fois l'été montréalais pratiquement terminé. Durant la saison froide, elle n'y songeait même pas. L'été, par contre, elle imposait à Samiha de constamment revêtir des pantalons et un chandail à manches longues. C'est pourquoi la pauvre enfant préférait demeurer à l'air conditionné à l'intérieur de la maison, les jours de grande canicule. Pourquoi avoir fait renaître le risque de cancer pendant encore quelques jours ? Risque vingt-huit pour cent plus élevé chez les transplantés que dans le reste de la population, selon les statistiques, et parfois même chez les enfants…

Cette fois, pour ces courtes vacances, la cousine Anika était de la partie. Marjolaine et Ivan avaient bien invité sa mère à se joindre à eux, mais Lydia, dernière arrivée parmi les employés du magasin où elle travaillait, n'avait pu prendre congé, obligée de remplacer les effectifs partis en vacances.

— La relâche pour moi, c'est remis à l'an prochain. Cependant, si vous emmenez Anika, j'en serai très contente. Ça va être « au boutte », avait-elle ajouté avec un sourire coquin, trop fière de placer son expression québécoise.

À part les heures passées sur la plage, Marjolaine dut admettre que cette relâche s'avérait « au boutte », en effet. On en profita pour louer des bicyclettes, tôt chaque matin, et pédaler allègrement sur la promenade en bordure de la mer pour admirer les superbes maisons victoriennes érigées le long du village. On assista également, au cours d'une soirée sous les étoiles, à un concert gratuit donné en plein air par un petit orchestre, dans un kiosque situé au milieu d'un parc du centre-ville, tout en dégustant un fondant au chocolat local.

Les vacances atteignirent leur point culminant quand les deux fillettes sursautèrent et lancèrent un cri d'épouvante au son du rugissement inattendu d'un lion, dans une cage du ravissant zoo de la ville, et qu'Ivan éclata de rire, incapable de s'arrêter. Plié en deux, il se tenait les côtes, les larmes aux yeux.

— Chères petites ! Grâce à elles, je me fends la pipe ! Quelle spontanéité, quelle innocence et, surtout, quelle fraîcheur ! Ne sommes-nous pas chanceux de les avoir dans notre existence, Marjolaine ? Dire que je vivais une vie plate de célibataire de plus en plus endurci, autrefois… Merci, mon Dieu, d'avoir mis Marjolaine sur mon chemin et merci pour tout ce bonheur que ma petite fille me procure !

Jamais Marjolaine ne l'avait entendu prier de cette façon, à voix haute et en présence d'autres personnes. Et il semblait vraiment croire ce qu'il disait, ayant soudainement joint les mains et fermé les yeux afin de mieux se recueillir. Elle faillit lui répondre qu'elle-même avait naguère connu ce genre d'euphorie avec ses fils, au cours de leur enfance. Par contre, les choses n'étaient pas toujours demeurées aussi faciles et agréables, surtout pendant l'adolescence de Rémi et son passage à l'âge adulte. Par contre, pour elle-même, recommencer avec une troisième enfant lui aurait paru plus simple sans la maladie de Samiha. Néanmoins, elle préféra garder le silence.

Pour l'instant, le bonheur était là, vibrant et palpable, et il pesait davantage dans la balance que les difficultés. Mais qui sait ce que l'avenir leur réservait ? Marjolaine devait donc profiter du moment présent et le saisir à pleines mains. Sous les rires encore plus éclatants d'Ivan, elle se mit à imiter les fillettes et commença à vociférer comme elles, en s'imaginant que leurs cris allaient apeurer le lion. Est-ce la raison pour laquelle le roi de la jungle, après leur avoir jeté un regard dédaigneux, s'éloigna dans toute sa dignité pour s'écraser un peu plus loin et s'endormir avec indifférence, sa tête brous-sailleuse enfouie entre ses pattes ?

Bref, Cape May, avec les mille et une photos prises par Ivan, s'inscrivit au chapitre du bon temps.

La belle médaille des vacances ne tarda pas à afficher son revers. À peine quelques jours après le retour des États-Unis, Marjolaine découvrit, dans le cou de Samiha, une tache qu'elle n'avait jamais remarquée, genre de surélévation rosée de la peau qu'elle s'empressa de montrer à Ivan.

— Mais voyons, Marjolaine, c'est une simple verrue. Cesse donc, encore une fois, de t'alarmer pour rien !

— C'est bien autre chose, j'en suis convaincue. Ça semble même irrité et un peu rugueux, on dirait.

Elle ne s'inquiétait pas pour rien, en effet. Même à première vue, le médecin n'émit aucun doute sur le diagnostic.

— Il s'agit d'un carcinome épidermoïde, genre de cancer de la peau assez fréquent, souvent rencontré chez les transplantés d'organes. Habituellement, ça prend quelques années à se manifester, mais là… c'est venu rapidement, d'après mon examen.

— Oh mon Dieu ! Il ne manquait plus que ça !

— Ne vous en faites pas, madame. Nous allons opérer cette petite sans tarder et plus rien n'y paraîtra. Je ne vois pas encore de formation de croûtes ni de saignements, cela signifie que nous en sommes à un stade très précoce. Traité au tout début, ce cancer est facilement guérissable. Je serais bien surpris qu'il se soit propagé aux ganglions lymphatiques ou à d'autres organes pour former des métastases. Ne vous tourmentez pas inutilement, ma chère dame, pas pour le moment du moins.

— Est-ce que tout ça va finir par nous lâcher, un de ces jours ?

— Vous savez, ça ne finit jamais, ce genre de maladie. Un greffé reste un greffé et, dans le cas du rein, il faudra probablement envisager une autre transplantation dans quelques années. Mais ça vaut tout de même la peine, vous ne pensez pas ?

L'espace d'un instant, Marjolaine songea à Samiha courant sur la plage derrière sa cousine. Elle l'entrevit aussi jouant du piano, si fière aux côtés de son père, ou en train de se délecter avec lui d'une crème glacée au chocolat. Puis, elle pensa à son sourire quand, le soir avant de s'endormir, elle lui lisait une histoire. L'enfant embrassait sa maman en portant ses bras frêles autour de son cou. Quoi demander de plus beau à la vie ? Tant de petits bonheurs accumulés au fil des jours…

— Oui, docteur, ça vaut la peine. Aucun doute là-dessus !

— Alors, madame, nous devons nous montrer optimistes. En sortant d'ici, prenez immédiatement deux rendez-vous *stat*, l'un en dermatologie et l'autre en radiologie pour nous assurer de la non-propagation du mal. Voici l'ordonnance. On la verra ensuite en chirurgie et ça ne devrait pas tarder avant qu'on l'opère. Probablement dans quelques jours. On procédera par anesthésie locale, ne vous en faites pas. Par contre, il faudra dorénavant la surveiller de plus près. Pour le moment, déshabille-toi, jeune fille, que je vérifie si tu n'as pas des cochonneries comme celle-là ailleurs.

Marjolaine poussa un puissant soupir de soulagement : le médecin, après avoir scruté attentivement tout le corps de l'enfant, ne trouva pas de nouvelle tumeur.

« Pas pour le moment », se dit Marjolaine, envahie par un vague découragement. Elle n'arrivait pas à croire qu'elle reverrait Samiha une fois de plus alitée dans un lit d'hôpital. Et cette fois, à cause d'un cancer, si minime fût-il.

L'opération eut lieu la semaine suivante et, ne durant que quelques minutes, traumatisa davantage la mère que la fillette soumise à l'effet d'un calmant. Si, d'après les résultats du laboratoire de pathologie émis deux jours plus tard, il s'agissait bel et bien d'un carcinome, l'absence formelle de sa prolifération et d'autres tumeurs rassura néanmoins les parents et les médecins.

Samiha put, comme tous les enfants de son âge, prendre le chemin de l'école, cette fois en première année, sautillante de joie et heureuse comme un papillon dans le vent.

CHAPITRE 26

L'émission de Radio-Canada, *Les Grands Maîtres de notre temps*, diffusée au milieu de novembre et mettant en vedette Ivan Solveye, fut une réussite totale, et la cote d'écoute dépassa tous les records. D'abord abondamment annoncée durant les jours précédant la diffusion, les médias, journaux et chroniques d'art ne manquèrent pas, par la suite, d'y apporter une appréciation fort positive. Sans compter que, d'après les multiples témoignages envoyés sur les réseaux sociaux, la communauté musicale de la province entière ainsi qu'un nombre effarant d'amateurs de musique classique se montraient fiers et contents que le pianiste Solveye soit définitivement affecté à Montréal.

De plus, ce qui procura un plaisir ineffable à Marjolaine fut que Samiha, sans trop savoir comment ni pourquoi, était devenue une vedette au sein de son école, un peu grâce à la réputation de son père mais aussi grâce à sa performance pianistique. Wow! Samiha Solveye avait joué du piano à la télé! Et encore plus, sa brillante interprétation en compagnie de sa cousine, même si on ne lui avait alloué qu'un très court laps de temps dans l'émission, avait apporté une jolie note de fraîcheur, selon les dires des parents, et lui avait valu des hommages fort encourageants.

D'ailleurs, comme pour ajouter au plaisir de la fillette, les autorités de l'école décidèrent d'utiliser son talent pour une présentation pianistique lors du futur spectacle de Noël dont on entamerait les préparatifs très bientôt. Évidemment, Samiha s'en trouva fort excitée. Non seulement elle devrait apprendre un morceau de Noël de son choix, qu'elle présenterait seule devant toute l'école réunie dans le gymnase, mais elle accompagnerait aussi les élèves quand ils chanteraient le traditionnel *Sainte nuit*.

Quant à Tonia, on lui alloua une place de choix dans l'émission, utilisant même son interprétation comme thème principal et musique de fond de l'émission, faisant également le lien entre les différentes séquences. Si personne n'avait encore retenu ses services de flûtiste pour le moment, son jeu fut remarqué dans les coulisses de l'université. Une certaine Mireille Ledoux[6], collègue d'Ivan à la Faculté, signifia au pianiste qu'elle apprécierait la compter parmi ses élèves, si jamais la jeune femme entreprenait des études de maîtrise et de doctorat à l'université.

— Tonia a de l'avenir et j'ai bien envie de croire en elle. Elle me fait tellement penser à moi, au même âge. Moi aussi, j'ai joué de la flûte, enceinte, mais au lieu d'un pianiste, il y avait derrière moi un orchestre complet. Rien ne me ferait plus plaisir que de travailler avec elle.

— Je sais qu'elle se trouve en congé et n'est momentanément inscrite nulle part, toute consacrée à sa grossesse pour l'instant. On va la laisser mettre son bébé au monde et on verra par la suite, rétorqua Ivan, non sans une fierté d'oncle et de futur grand-père adoptif.

---

6. Référence au premier roman de l'auteure : *Clé de cœur*, 2000, éditions JCL.

D'un autre côté, il se demandait s'il devait se réjouir du succès de cette émission. Pour quelle raison étaler ainsi sa vie et celle de tous les siens sur la place publique ? *Les Grands Maîtres de notre temps*, n'était-ce pas un titre ronflant et prétentieux ? N'avait-il pas évolué et changé son fusil d'épaule depuis la parution de sa biographie, datant déjà de plusieurs années ? À l'époque, il n'avait pas résisté aux pressions exercées par une importante maison d'édition française insistant auprès de lui pour raconter les faits de sa jeunesse en Croatie, une histoire quand même pathétique et peu banale.

On l'avait convaincu que ce livre le ferait connaître davantage, et il avait accepté, soucieux de la réussite de sa carrière. À ce moment-là, sa musique et ses interprétations au piano représentaient l'unique raison pour laquelle il vivait encore. Ou plutôt survivait, car l'idée du suicide l'avait effleuré à maintes reprises, en dépit de sa passion, et ce, jusqu'au début de la quarantaine. D'une manière inattendue, la biographie avait en effet transformé son existence et fait apparaître Marjolaine Danserot dans le décor, d'abord sous la forme d'une lettre. Rien que pour cette raison, il se disait que la publication du livre avait valu la peine.

Mais maintenant ? Que pouvait lui apporter de plus cette émission de télévision où, mis à part les détails au sujet de la mère biologique de Samiha, on révélait la plupart des faits de sa vie privée des dernières années ? Plus de notoriété ? Davantage de popularité ? Jusqu'où une vedette devait-elle dévoiler son intimité pour se faire un nom ? Un nom ? Ivan Solveye en possédait un, un nom, et il n'en avait que faire, maintenant, de plus de célébrité ! À peine arrivait-il présentement à remplir convenablement la tonne d'obligations, de réservations et d'invitations qui remplissaient ses jours. De là à se sentir un grand maître… Un grand musicien lui suffisait amplement !

Marjolaine fournit la réponse à ses questionnements la fin de semaine suivante, lors d'un souper en tête-à-tête. Ce matin-là, ils avaient pris tous les deux le chemin du mont Tremblant pour un week-end d'amoureux, avant le départ d'Ivan pour un rapide aller-retour de trois jours à Paris. Lydia avait aimablement accepté de garder Samiha, et la fillette se montra fort contente de passer du bon temps avec sa grande cousine Anika. De toute évidence, Ivan ressentait le besoin urgent de décrocher, de se retrouver lui-même auprès de sa femme, sans famille, sans élèves et sans piano. Sans rien, sans même sa fille. Seulement lui, incognito, et Marjolaine.

Balade dans les rues pittoresques du village, quelques heures dans la forêt des alentours, chutes et roulades dans la première neige de la saison tout en gardant l'œil aux aguets pour l'apparition de l'ours toujours espérée par Ivan, apéritif dans un petit bar chaleureux, fondue savoyarde dans un des restaurants à la mode de la localité et promesse d'un massage suédois et d'une trempette dans les eaux chaudes d'un spa pour le lendemain matin… Quoi demander de mieux pour favoriser la détente?

Le samedi soir, ils étaient rendus au dessert quand la pertinence de la fameuse émission revint sur le tapis.

— Peut-être n'aurais-je pas dû me prêter à une telle mise en scène. Ma vie privée ne regarde personne, après tout!

— Tu es devenu un personnage public, mon amour, et les gens désirent te connaître davantage, rien de plus. Et qui sait si ton témoignage n'éveillera pas un peu d'espoir de s'en sortir chez ceux qui n'en ont plus, Ivan? Tous ces orphelins souffrant de solitude, ces abandonnés privés de leurs repères, ces jeunes affligés par la maladie, ces immigrants perdus et démunis, tous ces blessés de la vie… Et que dire de ces autres en attente, ces étudiants de la Faculté de musique, bourrés de talent et ne craignant pas l'effort, mais encore tapis sous le couvert de l'ignorance ou de l'indifférence? À ta manière, tu nourris leur amour de la musique et l'espérance, pour les plus doués, de peut-être percer, un jour. À tout le moins de pouvoir en vivre.

— Ouais… tu as sans doute raison.

— Penses-y un peu ! Tu en as péniblement arraché par le passé, mon pauvre chéri, admets-le ! En apprenant le dénouement heureux de ton histoire, devant la réussite de ta carrière et en te voyant devenu époux, père et grand-père, en écoutant Samiha, en pleine forme malgré sa greffe, en train de jouer du piano, en constatant tout cela, certaines gens se remettront peut-être à croire en leur bonne étoile. Le bonheur existe pour tout le monde, après tout ! On a tendance à l'oublier, à certaines périodes de notre vie. Quoi de mieux qu'un personnage populaire et heureux pour le leur rappeler ?

— Tu crois sincèrement ce que tu dis, Marjolaine ?

— Oui. On a tous besoin, un jour ou l'autre, d'exemples et de témoignages semblables au tien pour se remonter le moral. Sans compter qu'en plus, ta fille et tes nièces se sont produites avec brio, prouvant que l'héritage génétique de tes parents existe encore et toujours. Peut-être cela leur servira-t-il un jour.

— Ouais…

— Une chose m'apparaît certaine : si la musique a jadis constitué une excellente thérapie pour toi, Tonia, Anika et Samiha démontrent qu'elle représente l'une des plus belles formes d'expression existant sur terre. Peu importe si on l'interprète soi-même ou si on l'écoute simplement, la musique nous ramène dans notre univers intérieur, elle nous reconnecte avec nos émotions, elle porte nos espoirs, nos attentes, nos secrets, nos chagrins et nos révoltes autant que nos joies. Elle parle le langage de l'âme, la musique ! Et sois fier de l'offrir comme tu le fais si bien au commun des mortels. De plus, tu appartiens maintenant au Québec, et cette émission nous a donné l'occasion d'être heureux de te compter parmi nous. De grâce, ne la remets pas en question et ne regrette rien. Compris ?

Ivan écoutait religieusement. En posant doucement sa main sur le bras du pianiste, Marjolaine poursuivit, mi-figue, mi-raisin :

— Ton coup de maître constitue un mal nécessaire, mon cher !

Elle éclata de rire en prononçant « mal nécessaire » et se leva aussitôt de table pour aller embrasser l'homme de sa vie, qui ne demandait pas mieux que de lui rendre son baiser, là, au beau milieu du restaurant. Elle portait, ce soir-là, un nouveau chandail de mohair bleu à col roulé qui lui allait à merveille, et ses yeux rieurs brillaient à la lueur des chandelles.

Il adorait cette femme et le lui démontra à plusieurs reprises au cours de la nuit suivante, à la manière d'un grand maître.

CHAPITRE 27

Le surlendemain, Ivan mettait le cap sur la France, histoire de signer quelques papiers et de régler certaines mises au point avec son agent et sa maison d'enregistrement. Retour immédiat au Québec pour terminer en beauté la session d'automne à l'université.

L'homme que retrouvèrent Marjolaine et Samiha à l'aéroport semblait toutefois à la limite de l'énervement. Il tenait à la main le journal français *Le Parisien* qu'il tendit à sa femme avant même de l'embrasser.

— Regarde, j'ai découvert ça dans l'un des journaux distribués dans l'avion.

Là, au beau milieu de la foule de la salle des arrivées internationales, Marjolaine lut avec curiosité l'entrefilet qui se trouvait en deuxième page, pendant que Samiha, tout excitée, ne cessait de bécoter son père en lui réclamant le petit souvenir qu'il lui rapportait toujours de ses voyages.

DROGUE – Une femme de vingt-quatre ans d'origine tunisienne, Feriel Shebel, a été arrêtée à l'aéroport de Lyon, au cours de la journée d'hier, alors qu'elle tentait de faire entrer illégalement au pays, dissimulés au fond de son sac à dos, environ cinq cents grammes d'un mélange contenant de la méthamphétamine et au moins cinq kilos de cocaïne. Traduite devant la justice le jour même, la jeune femme a tenté de s'échapper de la voiture dans laquelle les autorités l'avaient transportée. Elle a été sérieusement blessée par une balle reçue en pleine poitrine lors de la poursuite par ses gardiens. Malgré son transport rapide à l'hôpital de la Miséricorde, on n'a pu lui sauver la vie. Sa mort a été annoncée en début de soirée, au moment de mettre sous presse. On ignore encore si le gardien qui a tiré fera l'objet d'une enquête pour son geste.

— Ah, mon Dieu! Mais… il s'agit de…

— Chut! Marjolaine, mieux vaut se taire pour le moment. On en reparlera plus tard, si tu veux bien, répondit Ivan en désignant Samiha du menton. Par contre, j'apporte une bonne nouvelle : je vais enregistrer un cédérom avec ma nièce, après les Fêtes. Tonia Lesic va jouer des duos pour piano et flûte avec son oncle, le célèbre pianiste Ivan Solveye, croirais-tu ça? Me voilà tout excité!

— Wow! Es-tu sérieux?

— Vrai comme tu es là! J'avais apporté à Paris un enregistrement de notre émission de télé. Dès l'audition – et à ma suggestion, naturellement –, ma compagnie de disques n'a pas hésité à prendre le risque. On a accepté de nous préparer un contrat. Si Tonia consent à signer, on va s'y mettre aussitôt après la naissance du bébé, puis on ira s'exécuter en France.

— Donne-lui au moins le temps. Elle accouchera dans moins de deux mois, la pauvre!

— Rien ne presse, on prendra le temps nécessaire, un an et même dix-huit mois s'il le faut. Je l'ai d'ailleurs fait préciser dans le contrat. On devra d'abord dresser une liste des pièces à travailler, et on verra par la suite. Je vais demander à Mireille Ledoux, une consœur de l'université, d'aider Tonia. Vu sa haute compétence, je ne doute pas qu'elle y trouvera du plaisir.

— C'est super ! On dirait un conte de fées. Tonia n'en croira pas ses oreilles.

Le soir venu, après s'être assuré que Samiha dormait bien sur ses deux oreilles, on ressortit le journal dans lequel on parlait de Feriel Shebel. S'agissait-il réellement de Sarah Shebel voyageant sous un faux nom, ou bien d'une autre Feriel Shebel tout à fait inconnue et n'ayant rien à voir avec l'histoire pour le moins saugrenue de Sarah ? D'après la première version d'Amal Shebel, sa mère, Sarah était morte quand la petite Samiha avait deux ans. Quelques années plus tard, la femme revenait sur ses paroles et la prétendait vivante et en cavale, ayant pris le nom de Feriel, sa sœur jumelle suicidée. Cependant, à la suite de vérifications commandées par Ivan à un détective privé, l'année suivante, on pouvait conclure que rien de tout cela ne semblait authentique. Selon l'enquêteur, Sarah courait toujours de par le monde, n'avait jamais eu de sœur et n'était même pas recherchée par la police française.

Oh là là ! Quel fouillis ! Et voilà qu'une Feriel Shebel venait de se faire tuer par des policiers pour une histoire de drogue, ce qui pouvait s'avérer vraisemblable d'après les souvenirs qu'Ivan avait gardés des quelques jours où il avait connu Sarah, coureuse et cocaïnomane invétérée. En admettant qu'elle vivait encore avant-hier, évidem-ment ! Était-ce alors la « deuxième mort » de la mère de Samiha ? Et s'il s'agissait de la mort d'une parfaite étrangère ? Où se trouvait la vérité ? Sans compter que le journal ayant publié ce fait divers provenait de France… Ivan arriverait-il à joindre le journaliste afin de s'informer davantage ? De quel droit pourrait-il lui poser des questions, lui demander des précisions, peut-être même une photo de la morte ?

Depuis leur dernière rencontre avec la grand-mère de Samiha, Marjolaine et Ivan avaient rompu toute communication avec elle. Ils demeuraient donc dans l'ignorance totale de la vérité. Alors ? Peut-être existait-il plusieurs Feriel Shebel en France, et elles n'avaient absolument rien à voir avec la ou les filles de la chère madame Shebel ? Comment savoir ?

Assis l'un en face de l'autre, le mari et la femme, atterrés, ne savaient que penser. Le thé refroidissait dans les tasses et le gâteau à l'érable, pourtant l'un des desserts préférés d'Ivan, restait dans les assiettes. Et si le détective embauché par Ivan avait fait fausse route ? Si cette Feriel était vraiment Sarah ? Le pianiste ouvrit alors son ordinateur. Hélas, aucune photo de Feriel Shebel ne paraissait sur le site Internet du journal *Le Parisien*. N'y tenant plus, il s'empara du téléphone en fouillant dans son carnet.

— Où appelles-tu, mon chéri ?

— Je vais prendre contact avec madame Shebel au centre d'hébergement de Fontainebleau. Qui sait si la grand-mère ne va pas nous apprendre quelque chose ? Cette fois, je vais l'acculer au pied du mur, elle n'aura pas le choix de nous dire la vérité. La VRAIE vérité.

— Il passe à peine minuit, il est donc près de six heures du matin là-bas. Tu devrais attendre à demain avant d'appeler, mon amour.

— Tant pis pour le décalage horaire ! Quelqu'un répondra, car, dans ce genre d'établissements, on doit assurer le service vingt-quatre heures par jour et, à l'heure qu'il est, le soleil se lèvera très bientôt sur la France. Les préposés n'auront qu'à la réveiller si elle dort encore, la chère madame Shebel. Elle nous en a fait assez voir de toutes les couleurs, ça s'arrête aujourd'hui même et dès maintenant, tu sauras !

L'homme avait beau jouer à l'outré, Marjolaine vit sa main trembler en portant le combiné à son oreille. Il usa d'une voix chevrotante, presque hésitante, en s'adressant à son interlocutrice.

— Allo ? Bonjour, madame, excusez-moi de vous déranger de si bonne heure. Mon nom est Ivan Solveye. Je vous appelle du Canada. Euh… j'aimerais parler à l'une de vos pensionnaires, Amal Shebel, s'il vous plaît… Je le sais, madame, mais il s'agit d'une urgence et je dois communiquer avec cette personne au plus vite. Je suis le père de sa petite-fille Samiha, et il semblerait que sa mère vient de subir un très grave accident… Oui, oui, la fille de madame Shebel. C'est très important, je peux vous l'assurer.

L'attente dura près de vingt minutes. Ni lui ni Marjolaine ne tenaient en place. Il allait raccrocher quand la préposée revint au bout du fil. Elle se montra désolée. Madame Shebel n'habitait plus la résidence, car elle était décédée en septembre dernier. Elle ne comprenait pas que l'on ait négligé de l'en aviser et entreprit de bredouiller des excuses.

— C'est bon, je vous remercie, madame. Au revoir.

Après avoir transmis l'information bouleversante à Marjolaine, Ivan se releva et, étrangement, il s'en fut au salon pour préparer un feu de cheminée, sans en dire davantage.

— N'est-ce pas plutôt l'heure de monter nous coucher, mon amour ?

— Donne-moi quelques minutes. Après, seulement, je pourrai dormir en paix.

Il s'empara alors du journal français *Le Parisien* et il le réduisit en étroites bandelettes dans le but d'attiser le feu. Il y ajouta du bois d'allumage, puis y balança violemment une allumette. Une énorme flamme jaillit aussitôt en jetant un éclairage aussi fulgurant que momentané dans le salon. Marjolaine interpréta comme l'explosion d'une bombe ce qui aurait pu ressembler à une éclaircie de soleil. Ivan s'empressa alors de lancer quelques bûches dans le brasier.

— Brûle donc, maudite folle! Voilà ce que j'en fais, moi, de la mère biologique de ma fille! Comme on vient de l'apprendre pour sa mère, je t'annonce officiellement que Sarah Shebel est morte, morte, morte! Suicidée il y a quelques années, ou abattue par un policier avant-hier, je m'en contrefiche, elle vient de disparaître à jamais de notre vie comme de nos esprits, la Sarah! Et deux fois plutôt qu'une! Morte à dix-neuf ans selon la première version et maintenant morte à vingt-quatre ans, selon *Le Parisien*. Bye, bye, ma chère Sarah! Tu débarrasses le plancher à jamais! Compris? À jamais! Tu viens de cesser d'exister… si tu existais encore. Et si, par hasard, tu respires toujours, quelque part sur cette planète, tu n'existes plus pour nous! Amen!

— Tu as tout à fait raison, mon chéri. Il faut mettre un terme à toutes ces histoires impossibles.

Une fois le feu bien pris, Ivan alla chercher la grande enveloppe brune contenant les actes de naissance ramenés récemment de son coffret de sûreté et il envoya le tout dans les flammes d'un geste sec et brutal. Puis, il se tourna vers Marjolaine.

— Si, un jour, Samiha te pose des questions au sujet de sa mère biologique et sur sa famille – et ce jour viendra certainement –, limite-toi à la première version de l'histoire. Jure-moi de ne lui confirmer rien de plus que la mort mystérieuse de sa mère, en France, alors qu'elle-même avait deux ans, ainsi que le décès de sa grand-mère dans une résidence, souffrant des suites d'un accident de voiture. Elle n'avait pu prendre soin de sa petite-fille que durant un court laps de temps seulement. Précise à Samiah que nous l'avons alors recueillie dans un foyer d'accueil et avons soigné sa maladie rénale avant de l'emmener au Canada. N'en dis pas davantage, cela devrait suffire à satisfaire sa curiosité. Quant au reste, je te demande de l'oublier. Si le feu purifie tout, il vient de faire disparaître à jamais les traces de ce journal et les fameux actes de naissance. Que ce feu brûle également tout cela dans nos têtes et dans nos cœurs.

— Je te le jure, mon amour.

Même si elle mit des heures à s'endormir, Marjolaine se réjouissait de voir son homme plongé dans un sommeil profond à ses côtés. Il venait enfin de trouver la sérénité. La sienne ne tarderait pas à suivre, elle n'en douta pas un instant.

CHAPITRE 28

Le petit Renaud vint au monde deux semaines avant Noël, de façon normale et relativement facile. Un beau bébé grassouillet, à la chevelure brune abondante et possédant déjà une fossette comme celle de son père sur le menton. Hurlant à fendre l'âme au moment de sa naissance, comme s'il voulait souligner son existence à l'Univers entier par ces premiers cris de vie, il ne mit pas de temps à se détendre pour devenir un adorable poupon, calme et paisible, se contentant de réclamer la tétée à sa mère toutes les trois ou quatre heures.

Ses parents avaient des ailes et le berçaient avec une tendresse infinie. Tonia, envahie par les sentiments maternels, avait l'impression de traverser les plus beaux moments de son existence. Rémi, lui, l'ancien délinquant et l'ex-prisonnier, n'en revenait pas : il était devenu un père de famille, il avait un fils ! Oh là là ! Le plus magnifique bébé de la terre et le plus sage, en plus !

Cette naissance, plus que n'importe quelle expérience de vie, thérapie ou séance de réhabilitation, fit monter le jeune papa d'un cran dans l'échelle de la maturité. Jamais il n'aurait cru éprouver un tel attachement en si peu de temps. Pour lui, le passé s'avérait bel et bien terminé et oublié, il avait définitivement tourné la page et ne regardait plus maintenant devant lui que sous l'angle d'engagement et de responsabilité. Engagement envers la société, particulièrement au centre Les Papillons de la Liberté, avec l'ardent désir d'éviter à d'autres jeunes les horreurs qu'il avait lui-même vécues à cause de la drogue. Responsabilité d'une petite famille, en termes d'amour surtout. Il adorait Tonia, et elle le lui rendait bien. Ensemble, ils aimaient déjà ce bout de chou, et ils feraient tout pour bien l'élever et le rendre heureux. Et qui sait si, un jour, il ne leur prendrait pas l'envie de lui fabriquer un petit frère ou une petite sœur?

Les deux grands-mères ne tenaient plus en place, elles non plus. Lydia, particulièrement. Cette mère de trois filles tirait une grande fierté de posséder non seulement un premier petit-enfant mais un bébé de sexe masculin de surcroît. Elle pressentait déjà en lui le digne descendant de Joseph, celui qui perpétuerait sa race, même s'il s'appelait Legendre. Elle ne cessait de répéter, trahissant un certain regret bien légitime :

— Ah… si mon Joseph le voyait!

Bien sûr, la fête de Noël se célébra quelques jours plus tard avec les enfants comme thème principal, et Ivan eut la bonne idée de se déguiser en père Noël. Les petits de François, Justine et Charles, n'y virent que du feu et ne le reconnurent pas. Bébé Renaud, lui, ne s'en aperçut jamais. Quant à Samiha et Anika, de connivence avec le bonhomme Noël, elles se transformèrent en lutins pour l'aider à distribuer les cadeaux aux invités.

Ce jour-là, une joie immense et débordante était au rendez-vous, rue Durham, et Marjolaine rendit grâce au ciel pour une tournure si agréable des événements, en dépit de l'absence regrettable et bien sentie de son grand ami Jean-Claude. Pour une fois, elle se permit d'envisager la prochaine année, pour tout un chacun, avec espoir et confiance.

Une seule chose l'inquiétait. L'hôpital avait rappelé Ivan au milieu de décembre pour lui faire subir d'autres tests de laboratoire, à la suite des examens de routine obligatoires qu'il passait deux fois par année, compte tenu de son rein unique. Depuis cette deuxième prise de sang, aucune nouvelle du médecin. Sans doute la période des Fêtes ralentissait-elle le processus, mais tout de même… Marjolaine avait beau se dire qu'on aurait obligé Ivan à revenir au plus vite à l'hôpital si quelque chose d'anormal ou d'inquiétant s'était présenté, les idées noires remontaient à la surface à certains moments. S'il fallait… Il ne manquerait plus que ça !

À vrai dire, elle se serait passée de ce genre de préoccupations, surtout durant le congé de Noël. Ça n'arrêterait donc jamais ? « Tu t'énerves toujours pour rien », lui reprochait souvent son optimiste de mari, et il avait raison. Mais, bien malgré elle, les pires scénarios se dressaient facilement dans son esprit, comme si elle était en train d'écrire un roman noir. Le roman, réel et concret de sa propre vie, était pourtant beau et passionnant, heureux même en dépit de quelques moments difficiles.

En entendant son Ivan, adorable derrière sa barbe blanche et son habit rouge, émettre le grand rire gras et sonore du père Noël pendant qu'il caressait un tout-petit sur ses genoux, comment ne pas penser à quel point elle aimait cet homme et à quel point il s'avérait précieux pour elle ? Il lui avait apporté le bonheur et avait illuminé sa vie de femme autrefois confrontée chaque jour à l'indifférence d'un époux égoïste et introverti. Non, de toute évidence, elle ne pourrait pas supporter de perdre Ivan.

Mais qui parlait de le perdre ? Il lui avait dit, la veille, quelque peu ennuyé par ses énervements inutiles :

— Je n'ai rien, Marjolaine, voyons! Je me sens parfaitement en forme, je déborde d'énergie et je n'ai mal nulle part. Que veux-tu qu'il m'arrive? On a seulement prélevé un autre échantillon de sang pour effectuer une vérification quelconque, rien de plus. Pourquoi se gâcher la vie avec cela? Cesse donc de t'en faire pour rien, strictement pour rien. Si jamais on me découvre quelque chose de grave et que l'on doive absolument traverser cette rivière, on la traversera quand on y sera rendus, pas avant!

Elle s'était empressée de chasser ses idées sombres et avait continué de préparer allègrement sa tourtière et ses beignes en fredonnant des chansons de Noël reprises *ad nauseam* à tous les postes de radio.

Pourquoi fallait-il qu'au moment même de la fête, assise en face du père Noël, les mêmes idées sombres lui reviennent en tête? Elle se promit que, dès le lendemain, ou le jour suivant, elle téléphonerait elle-même à l'unité d'urologie pour en avoir le cœur net. En attendant, elle tenta de profiter pleinement de ces moments uniques et tellement merveilleux avec tous les siens.

Deux jours plus tard, n'y tenant plus, elle réussit à obtenir la voix du médecin à l'autre bout du fil.

— Tout est beau, madame. Je voulais seulement vérifier sa créatinine. On a dû égarer l'échantillon de son sang au laboratoire ou envoyer le résultat ailleurs, ma secrétaire n'arrivait pas à le trouver. Souvenez-vous toujours que, si je ne me donne pas la peine de vous rappeler, cela signifie que tout va bien. Vous pouvez dormir en paix, et saluez Ivan pour moi.

Elle s'en fut en courant dans le studio de piano et interrompit son mari au milieu d'un allegro tonitruant.

— Tout est beau, Ivan! Ton docteur vient de me le confirmer. Je suis contente, si contente, mon amour, tu n'as pas idée…

— Je pense que oui, j'ai une petite idée! Si on allait fêter ma bonne santé et celle de Samiha ? On pourrait aller visionner un film de Noël au cinéma avec elle et souper ensuite au resto tous les trois.

— Bonne idée!

L'espace d'une heure ou deux, dans un cinéma bondé d'enfants, Marjolaine redevint une petite fille et se laissa emporter avec Samiha par la magie du père Noël et de ses lutins Pif, Paf, Pouf, en voyage dans le grand ciel étoilé.

Quand on demanda à la fillette de choisir un restaurant, elle n'hésita pas une seconde : on irait souper « en grandes pompes » chez McDonald's !

CHAPITRE 29

La professeure de flûte, madame Mireille Ledoux, s'avéra une conseillère hors pair pour Tonia. À l'époque, les études de maîtrise de cette femme devenue enseignante n'étaient même pas terminées quand elle avait entrepris, à l'instar de la jeune Croate, d'enregistrer une série de duos avec son amant, le pianiste de haute réputation Paul Lacerte. Les excellentes critiques des médias et le succès du cédérom l'avaient mise sur la carte, et elle avait signé un contrat, quelques mois plus tard, avec l'Orchestre harmonique de la ville, même si elle se trouvait en début de grossesse. Ayant poursuivi ses études ultérieurement, elle était devenue une flûtiste très sollicitée dans les salles de concert en plus d'occuper la tâche d'enseignante à l'Université de Montréal.

De son côté, Tonia, encore étudiante et tout aussi talentueuse, possédait déjà un bébé et elle se produisait avec un partenaire qui n'était pas son amant mais son oncle, un pianiste plus connu et populaire internationalement que ne l'était le regretté Paul Lacerte, à l'époque. Conditions quelque peu semblables et dénouement également positif, à tout le moins anticipé avec confiance par madame Ledoux, convaincue du haut potentiel de son élève et ne souhaitant rien de moins qu'un véritable lancement de carrière pour la jeune Tonia Lesic...

On avait décidé de consacrer le disque compact en grande partie à Franz Schubert et un peu à Beethoven. De Schubert : la magnifique *Sérénade*♪ si romantique, suivie de *Variations*♪♪ et de quelques *lieders*, poèmes allemands traditionnellement chantés, mais interprétés ici dans une version où la flûte remplaçait la voix. De Beethoven : un mouvement de sonate pour flûte et piano♪♪♪.

Depuis la fin de février, Tonia s'exerçait à jouer en solo à la maison, pendant que le bébé dormait, et elle se rendait à l'université une journée par semaine pour recevoir les enseignements de madame Ledoux, abandonnant le petit Renaud aux mains de l'une de ses deux grands-mères. À ce moment-là, un étudiant en piano s'occupait de la version pianistique pour accompagner Tonia. Le reste du temps, un soir ou deux par semaine, et fidèlement tous les samedis matins, elle venait, avec un immense plaisir, travailler avec son oncle, rue Durham.

Ivan ne ménageait pas ses conseils, lui non plus, mais, à l'évidence, il avait de moins en moins à guider la flûtiste. L'idée était maintenant de fusionner l'interprétation au piano et le jeu de la flûte, car Tonia possédait parfaitement sa partition. Bien sûr, certaines maladresses et quelques petits accrochages existaient encore, la plupart du

---

♪   Pour entendre ce morceau, visitez le www.quebec-amerique.com/coupsurcoup et sélectionnez l'extrait musical n° 27 : *Sérénade* de Franz Schubert.

♪♪   Pour entendre ce morceau, visitez le www.quebec-amerique.com/coupsurcoup et sélectionnez l'extrait musical n° 28 : *Faded Flowers, Variations pour flûte et piano en mi mineur* de Franz Schubert.

♪♪♪ Pour entendre ce morceau, visitez le www.quebec-amerique.com/coupsurcoup et sélectionnez l'extrait musical n° 29 : *Sonate pour flûte et piano en Si bémol Majeur, 4e mouvement*, de Ludwig van Beethoven.

temps attribuables au stress ou à la fatigue, mais la jeune femme se montrait, à n'en pas douter, à la hauteur des attentes de son oncle.

— Si tu continues à travailler de la sorte, ce cédérom-là sera formidable, Tonia, je n'en doute pas un instant.

— Tu crois vraiment cela, mon oncle? répondait-elle, rougissante et sans l'ombre d'une pointe d'orgueil.

À vrai dire, Tonia Lesic, d'une sensibilité incomparable et d'un romantisme déroutant quand elle se laissait aller, se transfigurait, s'ouvrait, arrivait à transmettre la richesse fabuleuse de son monde intérieur. Au-delà des rythmes et des phrasés, et à travers les thèmes choisis par les compositeurs, son interprétation de la musique portait en elle la profondeur de ses états d'âme. Non seulement exprimait-elle sa douleur causée par la perte récente de son père et de sa sœur, et celle d'avoir dû quitter son pays et s'adapter à un autre, si accueillant fût-il, mais on sentait aussi, dans ses exécutions, son grand amour pour Rémi et la joie délirante d'avoir mis au monde un merveilleux petit garçon. Dans les *lieders*, surtout, elle faisait chanter sa flûte, devenait elle-même Marguerite actionnant son rouet, ou la belle meunière pleurant ses amours, ou encore la truite avide de liberté au fond d'un ruisseau. Quant à Beethoven, à l'instar de sa tante Marjolaine, Tonia affirmait que ce dernier remportait la palme parmi tous les compositeurs de l'histoire pour avoir su traduire les émotions par sa musique.

Madame Ledoux lui avait raconté que Schubert, vivant à la même époque que Beethoven, était un admirateur inconditionnel du célèbre musicien déjà hautement apprécié à Vienne. Le jeune Schubert, lui, moins connu et n'ayant remporté que de vagues succès concernant ses symphonies et ses compositions pour piano, menait plutôt une vie de bohème, entouré de ses amis poètes dont il mettait les écrits en musique, afin de les produire dans les cafés de la ville, au cours de soirées-rencontres appelées « schubertiades ».

Jamais il n'avait osé s'approcher de Beethoven pour lui parler. Cependant, quand il apprit qu'une grave maladie risquait d'emporter le fameux compositeur, il eut l'audace de sonner à sa porte pour venir lui exprimer son admiration. À sa grande surprise, le maître lui affirma bien connaître plusieurs de ses œuvres et les apprécier énormément. Il l'encouragea à continuer dans la même voie, lui prédisant un avenir fabuleux. Cela déclencha sans doute chez Schubert une énorme dose de confiance, car il se mit alors à accumuler de vifs succès pour chacune de ses compositions.

Hélas, la maladie n'emporta pas que Beethoven. Vingt mois plus tard, à l'âge de trente et un ans, Franz Schubert mourut également, après avoir obtenu enfin une réelle reconnaissance du public.

Quand Tonia raconta cette anecdote à Ivan, il se montra tout ému et ouvrit immédiatement le banc de son piano pour en sortir une photo disposée dans un petit étui de cuir, accompagnée d'un poème.

— Regarde la photo, Tonia. Les jardiniers que tu aperçois agenouillés, en train de planter des fleurs devant le monument funéraire de Beethoven, c'est Marjolaine et moi, il y a quelques années. Des pensées bleu et mauve… Tu vois l'autre monument au fond derrière, sur la droite ? Eh bien, il s'agit d'une construction semblable à celle de Beethoven, érigée en l'honneur de Schubert. Les deux musiciens dorment l'un à côté de l'autre pour l'éternité, croirais-tu cela ?

Non, Tonia n'en croyait pas ses yeux ni ses oreilles, surtout quand Marjolaine, ayant entendu la conversation à partir de la cuisine, vint les trouver en tenant le bébé Renaud endormi dans ses bras et lui chuchota :

— Impressionnant, n'est-ce pas ? Et moi, à ce moment-là, à Vienne, je n'ai pu m'empêcher de dire merci à ces deux musiciens et à tous les autres d'avoir existé et de nous avoir laissé un tel héritage. Ils me réconcilient avec l'humanité, vois-tu… Il arrive aux hommes de se battre honteusement dans des guerres abominables et parfois même fratricides. D'autres profitent de leurs semblables et les exploitent trop souvent en n'hésitant pas à commettre les pires bêtises ou des actes répugnants et révoltants. Mais, Dieu merci, les hommes peuvent aussi se montrer capables d'accomplir de grandes et belles choses, des choses divines, dont celle de composer de la musique. Ils deviennent alors des créateurs à l'image de Dieu…

— Et ils écrivent de la poésie, ou ils inventent de merveilleuses histoires, s'empressa de renchérir Ivan. Tiens, regarde le poème que ma femme a adressé à Beethoven, le soir même de cet événement.

Il sortit une feuille pliée en quatre insérée dans l'étui et entreprit de la lire à voix haute :

À toi, Beethoven,
Par quel mystère
Peux-tu ainsi m'envoûter
Et me mener vers le Beau ?
Tu es le pain qui me nourrit,
Le vin qui m'étourdit,
Mon souffle de survie.

Quand tes « crescendos »
Chantent mon allégresse,
Quand tes « forte »
Crient ma colère,
Quand tes « ritenutos »
Deviennent mes sanglots…

Oui, j'aurais pleuré, ce soir,
Sur cet air qui vient de toi.
Mais ses accents
Ont transcendé mon élan.
Je me suis seulement
Laissée bercer et… consoler.

Car cet air était une prière…
Chante et pleure avec moi,
Mon ami de l'au-delà,
Tes arpèges, à mon oreille,
Deviennent des murmures
Soit de douceur, soit de douleur,

Et de tant et tant de tendresse…

Les larmes embrouillèrent le visage de Tonia à la lecture du poème.

— Je pourrais très bien transposer ce poème à Franz Schubert, surtout en sachant que les deux musiciens étaient devenus des amis à la fin. Ah oui ! Tout cela m'inspire pour l'interprétation des pièces de ce cédérom, vous n'avez pas idée !

— Oui, ma belle Tonia, Schubert et Beethoven te donnent ici l'occasion d'interpréter leur poésie pure en musique. Alors, laisse-toi aller, ma grande, et tu vas faire des merveilles.

Alors, Tonia se laissa aller et… accomplit des merveilles.

CHAPITRE 30

Même si, au bout du compte, Tonia réussit à accomplir des merveilles, l'enregistrement du cédérom à Paris, au milieu de l'été suivant, s'avéra tout de même plus difficile et plus long que prévu. Nervosité de la pianiste due à l'inexpérience ? À l'inconnu ? Au dépaysement ? Gaucheries à cause du décalage horaire ? Maladresses occasionnées par la présence de son bébé dans l'appartement loué par Ivan ? La grand-mère Lydia s'en donnait pourtant à cœur joie durant toute la journée en déambulant dans les rues de la Ville Lumière derrière la voiturette d'enfant, même si le petit semblait quelque peu dérangé par le changement de routine et se réveillait souvent pendant la nuit. Bien sûr, cela eut pour conséquences les insomnies de Tonia et son manque de concentration.

Ivan regretta sa première idée d'avoir réservé cet appartement restreint à deux chambres et à une cuisinette minuscule, et il décida, au bout d'un certain temps, de louer, pour Tonia seule, une petite chambre d'hôtel située tout près du studio, et cela, jusqu'à la fin de l'enregistrement. Ainsi, elle pourrait dormir tout son soûl sans s'inquiéter du lendemain et aller s'exercer à son gré dans les salles du studio réservées à cet effet quand bon lui semblerait. Sa mère, qui avait laissé Anika à Montréal chez Marjolaine, suffirait amplement pour s'occuper de Renaud durant ces quelques jours. Tonia reviendrait auprès de son fils et de la grand-mère pour le souper du soir, avant d'aller passer la nuit à son hôtel, voilà tout !

Ce fut une bonne décision. En peu de temps, la flûtiste retrouva ses habiletés et sa pleine capacité d'expression musicale. On put alors se mettre sérieusement au travail d'enregistrement qui requit, finalement, un temps minimal.

Une fois le fameux disque compact achevé, les photos terminées et le court texte de la pochette minutieusement rédigé, on célébra l'événement au restaurant *La Mère Catherine*, à Montmartre, bébé Renaud dormant dans la plus grande indifférence, bien emmitouflé au fond de son landau placé aux côtés de la table.

Ivan leva son verre au succès du cédérom.

— Je nous souhaite bonne chance, ma chère nièce, mais pour être franc, je n'éprouve aucune inquiétude quant à son succès.

— Tu crois, mon oncle ? En tout cas, j'y ai mis tout mon cœur.

— Ça, je m'en suis rendu compte ! Dites donc, il nous reste maintenant une semaine avant le retour. Hum… Que diriez-vous, mesdames, si on faisait un tour à l'aéroport, demain matin ?

Lydia sursauta. Elle connaissait bien son frère et sa propension à provoquer des surprises. Qu'avait-il manigancé, cette fois ?

— Comment ça, nous rendre à l'aéroport ? N'allons-nous pas passer le reste du temps à Paris, comme prévu ? J'ai bien aimé me promener derrière la poussette dans les rues de la ville durant toute la semaine, mais j'apprécierais votre compagnie pour les prochains jours, moi !

— Bien… on va juste faire un tour à Charles-de-Gaulle, rien de plus. C'est quand même beau à visiter, un tel aéroport, ha! ha! Et cette fois, même pas besoin d'apporter nos bagages, c'est pratique!

Ivan ne put réprimer un fou rire et porta le revers de sa main sur sa bouche en lançant à sa sœur et à Tonia un regard narquois, comme un gamin pris en flagrant délit. Lydia continua de l'interroger.

— Quoi! Même pas besoin d'apporter de bagages! On ne partira donc que pour la journée, je suppose? Bon… pourquoi pas? Dans quelle combine veux-tu bien nous entraîner, hein, le frérot? Où nous emmènes-tu, pour l'amour?

La surprise était de taille : une fois à l'aéroport, Ivan demanda au chauffeur de taxi de se diriger directement vers la porte des arrivées internationales, contrairement aux prévisions des deux femmes.

— Ben quoi? On ne part pas? Pourquoi commencer par visiter la salle des arrivées? s'écria Lydia. Mais on la connaît, cette salle, on s'y trouvait même, il y a quelques jours à peine! Je croyais qu'on partait s'aventurer ailleurs, moi!

Ivan toussota légèrement et prit un air solennel.

— S'il te plaît, sœurette, va vérifier sur le tableau, au fond là-bas, si le vol d'Air Canada en provenance de Montréal respecte toujours l'horaire.

— Un vol en provenance de Montréal, dis-tu! Mais qui donc s'en vient?

Le vol était bien à l'heure. Dans moins de trente minutes, on connaîtrait la clé de l'énigme.

Les deux femmes n'en finissaient plus de débattre sur la nature du visiteur qui allait surgir éventuellement par la grande porte. Tonia souhaita secrètement apercevoir Rémi. Il n'avait pu abandonner son travail pour l'accompagner, mais quelle joie s'il avait réussi à se libérer pour passer la dernière semaine en France avec elle ! Il l'en aurait pourtant avisée par téléphone ou par courriel, allons donc ! Hier soir encore, il ne lui avait parlé de rien de tout ça au téléphone. Mais qui sait ? Un miracle… Et si sa prof, madame Ledoux, venait célébrer avec elle la réussite de l'enregistrement ? Non, non, il n'existait pas de raison de se déplacer jusqu'à l'aéroport pour l'accueillir, voyons ! Après tout, elle et Tonia n'avaient établi entre elles qu'une relation strictement professionnelle. Qui donc, alors ? On finit par conclure qu'il s'agissait sans doute de Marjolaine, ayant décidé de rejoindre son homme. Comme écrivaine populaire et femme d'Ivan Solveye, n'en avait-elle pas le loisir et les moyens financiers ?

Lydia se mit à rêver, elle aussi.

— J'aimerais bien ça, moi, profiter de la compagnie de ma belle-sœur durant cette dernière semaine en Europe. Oui, plus j'y pense, plus je crois que Marjolaine est notre visiteuse surprise. Je me demande, par contre, à qui elle aura confié Samiha et Anika. Sans doute à cette pauvre Caroline, déjà aux prises avec deux petits.

— Voyons, maman, cela n'a aucun sens.

Ivan, lui, ne disait rien, mais le plaisir d'avoir créé un mystère se lisait sur son visage. De toute évidence, il savourait sa surprise et débordait de fierté tout en trépignant d'impatience.

Les deux femmes ne s'étaient pas trompées, sauf que Marjolaine ne fut pas la seule à franchir la grande porte avec sa valise. Elle tenait par la main une Samiha fort excitée de retrouver son papa en France, tandis qu'Anika n'hésita qu'une seconde avant de sauter au cou de sa mère, aux côtés d'un Rémi rayonnant, tout content de revoir enfin sa chère Tonia et son adorable petit Renaud. Les suivaient de près François et Caroline tout pétillants et réjouis, poussant, chacun dans sa poussette, les bambins Justine et Charles profondément endormis.

Les cris de joie ne manquèrent pas de fuser de toutes parts. Marjolaine se jeta dans les bras de son mari, le remerciant mille fois d'avoir planifié un tel voyage familial à l'autre bout du monde, sans que Lydia et Tonia s'en doutent le moins du monde.

— Tu as tout réussi, mon cher, et tu peux te péter les bretelles !

— Me péter les bretelles ? Comment cela ?

— Tu peux être content de toi, Ivan, voilà ce que je veux dire. Quand je pense que nous allons passer la semaine ici, tous ensemble. Nous voilà tous réunis à Paris ! Incroyable ! Je dirais même merveilleux ! Jamais, de ma vie, je n'aurais pu imaginer cela.

Elle se tourna alors vers Tonia, muette d'étonnement et blottie dans les bras de son Rémi.

— Et toi, ma chouette, l'enregistrement s'est bien passé ?

— Oui, oui, au-delà de mes espoirs.

— Tant mieux ! Et… où allons-nous dormir ?

— Facile, j'ai réservé l'appartement à côté du nôtre, où les deux frères pourront s'installer avec leurs petites familles, tandis que Lydia et Anika pourront habiter avec Marjolaine, Samiha et moi. En se tassant un peu, on devrait pouvoir s'organiser. Ce sera la vie en commun, je pense bien. Je nous imagine en train de déjeuner ou de prendre l'apéritif vers cinq heures. Un plaisir assuré !

En effet, la vie communautaire s'avéra une réussite durant les six jours que la famille d'Ivan et de Marjolaine écoula en ces lieux, dans la plus parfaite harmonie. Caroline et François avaient planifié ce voyage longtemps à l'avance, mais ils s'étaient bien gardés d'en parler à Tonia et à sa mère. Rémi, quant à lui, avait voulu faire une surprise à sa femme qui, libérée des contraintes de l'enregistrement, ne cessait de l'en remercier. Marjolaine, de son côté, arrivait avec une excellente nouvelle en poche : le cinéaste l'avait finalement contactée deux jours avant son départ, et le projet de film tiré de son roman *Le Miracle* allait enfin se concrétiser. Ivan, pour sa part, ne pouvait que se féliciter de cette initiative qui s'était avérée un véritable coup de maître.

Avec le pianiste comme guide touristique, on fit une tournée rapide mais satisfaisante des principaux points d'intérêt de Paris. Les trois jeunes enfants, chacun dans sa poussette respective, demeuraient relativement sages, et Samiha et Anika se montraient plutôt intriguées par ce qu'elles voyaient. Quant à François et Caroline, le couple ne tarissait pas d'éloges et ne cessait de s'exclamer, en ce premier séjour dans les vieux pays. Marjolaine et Ivan, eux, connaissant déjà Paris, se contentaient de savourer le grand plaisir de partager avec leurs proches leur joie de se trouver dans cette ville qu'ils adoraient.

Bien sûr, la montée dans la tour Eiffel ne manqua pas d'impressionner les deux fillettes.

— On touche presque au ciel, maman !

Samiha ne pensait pas si bien dire. Marjolaine avait justement l'impression d'avoir atteint une sorte d'éden juché dans les nuages, un lieu où des humains, unis par des liens serrés d'amour et d'amitié, de respect et de plaisir, pouvaient regarder vers un horizon si éloigné qu'on l'appelait l'éternité.

Le soir, à l'heure de l'apéritif, on nourrissait les bébés dans l'appartement et, une fois qu'ils étaient endormis dans leur landau, on se rendait dans l'un ou l'autre des bistrots du voisinage pour savourer la bonne cuisine française.

Le jour précédant le retour au Québec, on s'en fut à Fontainebleau, à la fois pour effectuer une exploration touristique et pour montrer à Samiha la ville de sa naissance. On hésita quelque peu entre Fontainebleau et le Disneyland de la banlieue de Paris, mais en raison de l'âge des plus petits, on trouva plus sage de remplir plutôt la promesse faite à Samiha durant l'hiver, et en Floride de préférence.

L'enfant ne reconnut pas vraiment la résidence où elle avait habité avec ses grands-parents. Elle lança cependant un cri en voyant le centre d'accueil où elle avait écoulé ses derniers mois avant d'entrer à l'hôpital, de même que le petit appartement occupé par ses nouveaux parents durant sa convalescence, avant son départ pour le Canada.

— C'est là ! Regarde, Anika, j'habitais à cet endroit avec mon papa après mon opération. Je m'en souviens, maintenant !

On visita ensuite le magnifique château, haut lieu de l'histoire de France. Marjolaine souhaita ardemment que, dans la mémoire de l'enfant, ce château prenne davantage de place que tout le reste.

Puis, on s'arrêta dans la forêt de Fontainebleau, dans un espace de pique-nique aménagé au milieu de l'énorme massif boisé. Pâtés, saucissons, cretons, tomates, fromage et baguette, vin blanc sec et frais, on préféra déguster le tout grimpé sur les grosses pierres plutôt que d'utiliser l'une des vieilles tables de bois pourri. Les bébés avalèrent leur purée et les fillettes, elles, ingurgitèrent rapidement quelques sandwiches achetés chez un marchand du village et s'en furent jouer aux alentours.

Bien sûr, elles ne mirent pas de temps à vouloir s'aventurer, d'un pas hésitant, dans un petit sentier aux abords du bois. Ivan s'empressa de les rassurer.

— Ne craignez rien, les enfants, il n'y a aucun ours ici! Ce n'est pas comme au Québec. Quoique…

Marjolaine s'esclaffa, amusée par l'espoir toujours vibrant d'Ivan d'apercevoir un ours, un de ces jours. Elle jeta alors un regard vers les siens, en grande discussion justement à propos des ours, et elle se promit de ne jamais oublier cet instant précis, où tous vivaient ensemble ce moment heureux et paisible, à l'autre bout du monde, dans un décor naturel et majestueux.

Elle remercia intérieurement son destin, puis se tourna vers la forêt pour apercevoir tout à coup une volée de papillons. Ceux-ci semblaient près d'une douzaine à batifoler gaiement autour des arbustes. Une grande paix envahit soudain l'écrivaine, comme si quelqu'un avait jeté sur tout son être une large couverture douce et chaude. Moment de grâce, moment de bien-être, moment de bonheur parfait. Moment d'euphorie. Moment d'apothéose. Moment d'absolu… Dieu se trouvait là, avec eux tous, en ce moment précis. Comment ne pas y croire?

Elle pivota du côté d'Ivan et réalisa que, l'œil humide, lui aussi contemplait les papillons. Des papillons blancs… Il se tourna alors vers elle et leurs yeux se rencontrèrent longuement, silencieusement. Ni l'un ni l'autre ne bronchèrent.

Ils se comprenaient.

FIN

MARQUIS

Québec, Canada

RECYCLÉ
Papier fait à partir
de matériaux recyclés
FSC® C103567